「いいね」を言葉に変える

How To Encourage: The Secret Behind Compliments

ほめツボ辞典

話題の達人倶楽部［編］

青春出版社

〝ほめツボ〟はどこにある？

「ほめる」というのは、媚びるとも、
へつらうとも、機嫌をとるとも違います。
肝心なのは、「いいね」と思ったら、
その気持ちを、ピッタリの言葉にして
相手に伝えること。
〝ツボ〟をおさえた言葉で
的確にほめることができたら、
自分もうれしい。相手もうれしい。
それは結果として、
お互いの信頼感につながります。
ほめ言葉は人間関係の潤滑油なのです。

照れずにほめれば、道は開ける！　——はじめに

人間関係を円滑に進めるには、まずは人を「ほめる」ことが必要です。ほめ言葉を惜しむと、相手を喜ばせることも、相手から好かれることもできません。とりわけ、コロナ禍もあって、人間関係がギスギスしがちな昨今、ほめ言葉という「言葉の潤滑油」の重要性は、いよいよ高まっています。人をほめる技術は、今や対人関係の能力の核心部といってもいいでしょう。

たとえば、「私は雑談が苦手で」という人は、雑談上手といわれる人たちが、ふだんの会話のなかにも、ほめ言葉をおりまぜていることにお気づきでしょうか。彼らは、単にあいづちを打っているようにみえるときでも、巧みにほめ言葉をおりこんでいるのです。

普通の人なら、「そうですね」や「なるほど」とあいづちを打つところでも、雑談上手＝ほめ上手の人は、「すごいですねぇ」「深いですねぇ」「お見事の一言

です」などと、ほめ言葉を含む言葉を使って、雑談を盛り上げています。

むろん、そうした会話術をマスターするには、さまざまなほめ言葉を頭に入れておくことが必要です。とりわけ、ほめ言葉は、相手や時と場合によって、効果的なフレーズが変わってきます。世の中には、容姿をほめられて喜ぶ人もいれば、性格や能力をほめられて自尊心が満たされる人もいます。相手に合ったほめ言葉を的確に選ばなければ、〝ほめ効果〟は上がらないのです。さらに、時と場合によっても、人間関係の上下によっても、ベストのフレーズは変わってきます。

そこで、本書では、あらゆるタイプ、あらゆる状況、あらゆる人間関係に対応できるように、ほめ言葉を網羅しました。人の仕事ぶりや能力、性格、あるいは趣味やファッションをほめるため、この本で多彩なほめ言葉を身につけて、よりバージョンアップした会話術を身につけていただければ幸いに思います。

２０２１年３月

話題の達人倶楽部

「いいね」を言葉に変えるほめツボ辞典■目次

STEP3
「語《ご》彙《い》力」があれば、こうほめることができる

STEP5

STEP6

プロは、相手の「見た目」を上手にほめる

カバー・本文イラスト■Adobe Stock
DTP■フジマックオフィス

STEP1

「聞く力」がある人は、この〝ほめツボ〟を外さない

1 会話は〝リターン〟ですべてが決まる

相手の話に的確に反応する方法

いいですね

とくに、ほめることが見当たらないときには、とりあえずこう言っておくといい。

ただし、冷めた言い方をすると、心のこもっていない言葉に聞こえるので、使うときは、明るく、軽く、高い声で。

驚きました

日常的に驚くことの少ない職場や家庭では、けっこうインパクトのあるほめ言葉。
たとえば、「驚いたよ、ここまでやるとは」と言えば、驚きと感動を同時に伝えられる。日々、驚くことが多い場所では威力を発揮しないが、ふだんは刺激の少ない場で驚きを伝えると、相手の喜びは倍増する。

いいこと言うなあ

相手の話に感心したときに使えるフレーズ。相手を持ち上げるとともに、話をきちんと聞いていることを伝えるメッセージにもなる。「いいこと言うなあ」と大きくうなずいたり、「う〜ん、いいこと言うなあ」と、しみじみ何度もうなずきながら言うと効果大。

それははじめて聞きました！

上司や先輩が仕事上のアドバイスをしてくれたとき、さもタメになったような口ぶりで使うといいフレーズ。たとえ周知のことでも、はじめて聞くような態度をとるのがポイント。昔話や自慢話を聞くときにも使える。

なるほど！

相手の話に感心したとき、その気持ちを簡潔に表せる便利な言葉。あいづち代わりに、何度使ってもいい。ただし、同じトーンで「なるほど！」と言うと、わざとらしく、真剣に聞いてないようにも聞こえるので、「なるほど〜」としみじみうなずいたり、「なるほど、なるほど」など軽く何度もうなずいたりと、バリエーションをつけたい。

深いですね

この言葉は、その状況に応じて、内容に深みがある、考えが深いなど、さまざまな意味を込められる。いずれも知的な裏付けが必要なことなので、「知的ですね」「頭がいいですね」とほめることになる。しかも、相手の話を理解していないと言えない言葉なので、相手の話を真剣に聞いていることをアピールできる。

いまの話、かなりツボでした

飲み会などのくだけた場では、目上の人の話に対して、あえてこのようなフレーズを使うのも一法。「ツボ」という、あらたまった場では使いにくい、くだけた言い回しをすることで、率直な感想を述べている印象を与えられる。相手との距離を縮めてくれる可能性を秘めたひと言だ。

エピソード・トークに対する絶妙な〝返し〟とは？

たいしたものですね

あいづちのように、さりげなく使えるほめ言葉。たとえば相手の自慢話に、「たいしたものですね」と応じれば、相手の機嫌はますますよくなるだろう。嫌味なく相手を乗せることができるので、やり手の営業マンがよく使う言葉の一つでもある。

完璧ですね

「完璧」は、欠点がまったくない様子を表す言葉。最高のほめ言葉になる。冷静に考えればかなりオーバーな表現だが、力強く言い切ることで、ほめ言葉としての〝言《こと》霊《だま》〟が宿る。たとえば、本番前のリハーサルや練習で使えば、相手を鼓舞・激励する言葉にもなる。

豪快なお話ですね

多分にホラが入っていそうな自慢話や、とても実現しそうにない夢物語を聞くときに使えるフレーズ。くだらないホラ話と思っても、相手が楽しげに話しているのを、シラけた態度で聞くのは失礼。リアリティがなくても、「スケールの大きな話」と考えれば、それなりに楽しく聞けるし、相手もより楽しく話せる。

格が違いますね

肩書きや能力が明らかに上の人をほめる言葉。少し上の先輩なら、「さすがですね」でもいいが、本当に立派な人に対しては、やや言葉が軽い印象がある。「格が違いますね」と言えば、尊敬や感動の気持ちを十分に込められる。

「驚き」と「喜び」を表しながらほめるコツ

すごい！

たった3文字のなかに、相手を認める気持ち、尊敬する気持ち、相手から受けた感動を凝縮できる。とりわけ、目の前で感動的な出来事が起きたときに、「すごい！」と発すれば、それで十分。他のほめ言葉は必要ない。

さすが！

評判や期待通りの働きをした相手にかけるほめ言葉。日頃から相手を高く評価していたというニュアンスを込められる。とくに、部下は上司から、こうほめられると、うれしいもの。さらに「さすが○○君」、「さすが△△さん」のように、相手の名前を付けると、こちらの気持ちをよりビビッドに伝えることができる。

見事です！

ほめ言葉の〝万能選手〟のような言葉。たとえば、芸術作品をほめるときには、作品の特徴に応じて、「美しいですね」「巧みですね」「鮮やかですね」「緻密ですね」「大胆ですね」など、多様なフレーズがあるが、それらの言葉はすべて「見事です！」のひと言で代用できる。

すばらしい！

英語で言えば「wonderful!」。アメリカ人やイギリス人が「wonderful」を頻繁に使うように、「すばらしい！」も、どんな場面でも何を対象としても使うことができる。前項の「見事です！」と並ぶほめ言葉の〝万能選手〟。

まいった!

「まいった!」は、そもそも柔道などで、負けた者が合図に言う言葉。仕事などでも、こちらが「まいった!」と負けを認めれば、相手を持ち上げ、ほめることになる。ほめ言葉としてはくだけた言い方になるので、同僚や目下の人に対して使うのが無難。

ワォ!

もとは、英語で驚いたときに発する言葉。それが日本でも驚くほど感動した場面で使われるようになっている。とはいえ、年配者に対しては失礼になるし、使う人のキャラクターによって合わないときもある。場面を選んで使うのが無難。

目からウロコでした

お決まりの言い方ではあるが、軽く驚いた表情で言うと、意外なほど喜ばれる。

2 〝ほめ上手〟になるには、〝ほめられ上手〟になろう

ほめられたとき、照れずに言葉を返せるか

おかげさまで

人間関係を円滑にするために活用したいフレーズ。たとえば仕事で業績をあげ、ほめられたときには、「これも○○さんのおかげです。ありがとうございます」、「おかげさまで軌道に乗ってきたようです。これも○○さんのアドバイスのおかげです」などと使う。相手を立て、感謝の気持ちを伝えられるフレーズ。

もったいないお言葉です

人前でほめられたときの定番フレーズ。ほめられたとき、「いえいえ、そんなこ

とはないです」と、否定・謙遜するのは、大人としては芸がない返し方。とくに、目上からほめられたときには、「ありがとうございます。もったいないお言葉です」と相手を立てながら謙遜するのが、大人のマナー。明らかなお世辞を受け流すときにも使える便利な言い回しだ。

とても人様におほめいただくようなことでは

自分の行為をほめられたときに、謙遜する言葉。たとえば、朝早く出社して、オフィスを掃除しているところをほめられたとしたら、「とても人様におほめいただくようなことではありませんので」と返せば、謙虚に聞こえる。大人の決まり文句の一つ。

私自身がいちばん驚いているんです

成功を人から祝福されたときに使えるフレーズ。仕事の成功や、プライベートでの朗報などを人からほめられたときには、「ありがとうございます。じつは、幸運に恵まれて、私自身がいちばん驚いているんです」などと答えるとよい。喜びを素直に表しながら、謙虚にも聞こえるフレーズ。

もう勘弁してください

この言葉は、目上などから、気恥ずかしくなるほど持ち上げられたときに、冗談めかして使うとよい。「勘弁してください。そんなにすごい話ではないんです」、「私一人の力ではありませんから。もう勘弁してください」など。

何も出ませんよ

これも、必要以上にほめられたときに使うセリフ。「そんなにほめてくださっても、何も出ませんよ」、「またそんな、お上手を言って。いくらほめてくださっても、何も出ませんからね」などと使う。

そうおっしゃっていただけると、元気が出ます

人からほめられたり、励まされたときに返す言葉。「ありがとうございます。○○さんからそうおっしゃっていただけると、元気が出ます」などと使う。とくに目上の人からほめられたときに、このように言って相手を立てるようにすると、人間関係が円滑になる。

そのようなお言葉をいただいては、こちらが恐縮いたします

目上からほめられたとき、こう返しておくと、謙虚かつ礼儀正しく聞こえる。「もったいないお言葉です。恐縮のかぎりです」などと変化をつけられる。お世辞を言われたときには、大人なら、真に受けて喜ぶのではなく、このような謙虚なフレーズで応じたいもの。

ありがとうございます。今後も精進いたします

人から仕事の成果をほめられたときは、この言葉で返したい。「ありがとうございます。○○さんのアドバイスのおかげです。今後も精進いたします」など。現在の成功に甘んずることなく、今後も前向きに励むことをアピールできる。

その道のプロが使いこなす〝ほめ返し〟の技術

本当に、ほめ上手なんですから

相手がほめてくれたとき、すかさずほめ返すフレーズ。とりわけ、相手が〝気の

利いた〟言葉でほめてきたときなどに使うと、効果的なフレーズ。「ほめ方がお上手なので、舞い上がってしまいそうです」などと変化をつけても使える。

○○さんにほめていただけるとは、みんなに自慢できます

これも、ほめてくれた人に対して、感謝の気持ちを表しながら、ほめ返すフレーズ。「○○さんに」ほめられたことが「みんなに自慢できる」ほど、重要なことと持ち上げることで、○○さんの眼力や識見を特別のものと思う気持ちを伝えられる。

その一言で報われました

仕事ぶりや努力を評価してくれた人に返す言葉。とくに、労力のわりに評価されない仕事、日の当たらない仕事をほめてくれた人には、このフレーズで返すといい。「○○さんにほめていただけるとは。そのひと言で報われました」と言えば、相手の眼力を持ち上げることができる。

○○さんのような方にほめられるとうれしいわ

人からほめられたときは、すかさず相手をほめ返すと、スマートに聞こえる。

「ありがとう。あなたのような方にほめられるとうれしいわ」、「光栄です。○○さんにほめられるなんて」など。ほめられたことをきっかけにして、自然に相手を持ち上げられるフレーズ。

ありがとうございます。○○さんこそ、△△ですよね

人からほめられたときは、すぐにほめ返すのが大人の会話。たとえば、服装のセンスをほめられたときには、「ありがとうございます。○○さんこそ、素敵なかばんをお持ちですね」、「うれしいです。○○さんこそ、いつもセンスがいいですよね」などと返したい。互いに気分がよくなり、そのあとの会話がはずむもの。

そんなことに気づいてくれたんですか。さすが○○さんですね

こちらのちょっとした変化に、相手が気がついてくれたときに、お礼を言いつつ、相手の細やかな気配りをほめるフレーズ。「このほうが使いやすいかと思って、少しだけ備品の配置を変えてみたんです。それに気づいてくださるなんて、さすが○○さんですね」などと返せばいい。

○○さんのご指示があったからこそです

仕事で成功をおさめたとき、目上の人に対して使う常套句。上司に対する感謝と敬意を表することで、満足感をもってもらえる。「部長のご指示があったからこそです。おっしゃるとおりにやってみたら、大成功でした」、「もっと早く課長に相談すればよかった、と。今回、契約がとれたのも、ご指示があったからこそです」など。

○○さんに励ましていただかなければ、投げ出していましたよ

仕事の成功を職場の先輩などからほめられたときに、返す言葉。「○○さんに励ましていただかなければ、途中で投げ出していたかもしれません」、「励ましていただいたおかげです。私一人ではこの結果は出せませんでした」など。自分一人の手柄ではないことを強調し、謙虚さを表せる。

○○さんにくらべたら、まだまだです

目上にほめられたときに、相手をほめ返すフレーズ。「ありがとうございます。でも、課長にくらべたら、まだまだです」などと使う。これも、謙遜しながら、相手をほめることにつなげられる言い回し。

願ってもないお話です

相手の提案をほめる形で、「イエス」の意思を伝える言葉。単に「承知しました」と答えるより、大きな喜びを伝えられるとともに、相手を持ち上げることもできる。トップクラスの営業マンには、相手の無理な注文にも、引き受けた後の苦労をおくびにも出さず、明るく「願ってもないお話です」と答える人が多いもの。

スポーツの腕前をほめられたときの受け答えのツボ

まぐれです

ゴルフやボウリングなどでいいスコアがでたときに、謙遜して言う言葉。たとえば、ゴルフで「ナイス・ショット！」とほめられたら、「珍しく当たりましたね。まぐれです」「飛びましたね。でも、まぐれですよ」などと返すといい。

ケガの功名です

ゴルフなどで、思いのほかいいプレーができたときに、使えるフレーズ。「ミスショットかと思いましたが、結果的によかったですね。ケガの功名です」「もうダメかと思いましたが、ケガの功名ですね。ゴルフの神様は、弱いものの味方のようです」などと、喜びを表しつつ、謙遜できる。

風が運んでくれましたね

ゴルフでボールがよく飛んだり、野球でホームランを打ったときに使えるフレーズ。「風が運んでくれたみたいですね。私のときだけ追い風になって、ラッキーでした」、「追い風に乗ったからですよ。まぐれです」など。

アドバイスが効きました。ありがとうございます

スポーツでうまくいったときに、アドバイスしてくれた人に返す言葉。「アドバイスが効いたようです。ありがとうございます」、「名コーチのアドバイスのおかげです。ありがとうございます」など。ゴルフで、フォームを注意されたあとなどに使うと、効果的なフレーズ。

STEP2

いい「社交辞令」が人間関係の土台をつくる

1 日常会話の中こそ、もっと大胆にほめよう

この〝万能フレーズ〟を知っていますか

面と向かって言うのは、ちょっと照れくさいけれど

ほめるのが照れくさいという人は、「面と向かって言うのは、ちょっと照れくさいけれど」と前置きしてからほめるようにしてみよう。そのうち、ほめることに慣れてくるもの。

こう言うと、お世辞に聞こえるかもしれないけど

マイナス思考の相手をほめるときには、こう前置きするといい。マイナス思考の人は、ほめられても「どうせお世辞だろう」と思ったり、「本心じゃない」と思い

がち。そこで、話し手のほうから、「こう言うと、お世辞に聞こえるかもしれないけど」、「調子がいいヤツと思うかもしれないけど」と先回りすると、案外、素直に聞いてくれるもの。ただし、頻繁に使うと、効果が薄くなるので、ここぞという場面を選びたい。

ご存じのとおり

相手の知識の広さを認める形で、自明の事柄に触れるときの定番フレーズ。こう前置きすると、聞き手の知識や教養に敬意を払うことができる。さらに、こう言っておくと、その後、陳腐なことを話したとしても、しばらくは耐えてもらうことができる。

けっこうな○○ですね

この「けっこうな」は、優れていて欠点がないさまを表し、物や仕事ぶりをほめるとき、オールマイティに使える言葉だ。「けっこうなお品を頂戴致しまして、ありがとうございます」、「けっこうなお仕事ぶりです。感服いたします」などと使える。

初対面の人には、この〝ほめツボ〟が効く

いいお名前ですね

名刺交換のときなど、相手の名前を知った瞬間に繰り出すフレーズ。とりわけ、相手の名字がよくある名ではなく、珍しいときに使うと効果的。相手の名前が読めないときには、「何とお読みするのですか？」と尋ねた後に、このフレーズを自然な流れで使うことができる。

○○のご出身ですか。魚がおいしいでしょうね

海沿いの出身者にかける言葉。日本列島周辺の海には好漁場が多いので、「三陸のご出身ですか。魚がおいしいでしょうね」、「富山のご出身ですか。魚がおいしいでしょうね」のように、海沿いであれば、多くの地方の出身者に対して使える言葉。

ご高名はかねがねうかがっております

初対面の人に「お噂はかねがねうかがっています」と言うと、「悪い噂じゃない

の」と混ぜ返す人がいる。そこで、相手を確実に持ち上げられるには、「ご高名はかねがねうかがっております」を使うといい。「高名」は、評判が良いことや有名なこと。こう言われて、悪い気がする人はいない。

私淑しておりました

本を出版したり、講演をするような有名人に使うとよいほめ言葉。「私淑する」は中国の古典『孟子』に由来し、意味は著作などを通じて尊敬し、手本として仰ぐこと。一般の人相手に使うのは大げさだが、ある程度名前が通っていて、大家、ベテラン、重鎮などと呼ばれる人には、喜んでもらえる言葉。

お時間を割いていただけただけでも光栄です

セールス、依頼などで、人と会ったとき、たとえ成果があがらなくても、使っておいて損はないフレーズ。たとえば飛び込み営業では、会ってくれたとしても、成果が上がらないことが多い。そんなときでも、頭を下げながらこのフレーズを繰り出せば、「次の機会には考えようかな」などと相手の心を動かせる可能性はゼロではないはず。

一度ぜひご挨拶さし上げたいと思っていました

えらい人とはじめて会ったときに使う定型フレーズに、「お目にかかれて光栄です」があるが、それとセットで覚えておくとよいフレーズ。「お目にかかれて光栄です。一度ぜひご挨拶さし上げたいと思っていました」などと使う。

覚えておけば、きっとどこかで役立つセリフ

私も鼻が高いですよ

相手が成功したときに、自分のことのように喜んでいるという気持ちを表す言葉。とりわけ、単に部屋を貸していただけなど、自分が〝ささいなこと〟で関係したときに使う言葉。〝大きな関係〟があるときに使うと、恩着せがましくも聞こえるので要注意。

いいお湯でした

人の家や旅館などで、入浴後に使う定番のほめ言葉。たとえば、人の家で内湯を

使わせてもらったときには、「いいお湯でした。ありがとうございました」と声をかけたいもの。また、旅館で入浴後は「いいお湯ですね」と従業員にひと声かければ、相手も笑顔を返してくれることだろう。

運も実力のうちですよ

何かで成功した人が「今回は運にめぐまれました」と謙遜したときに繰り出すフレーズ。たとえば、試験に合格した人が「運よく、ヤマが当たりましてね」とへりくだったときには、「運も実力のうちですよ。お見事です」のように使うことができる。

あなたと友だちになれて本当によかった

社会人になると、気を許せる友人に出会える機会が少なくなるもの。「出会えてよかった」と思える友人ができたときには、一度は使ってみたいセリフ。相手への最大級のほめ言葉になる。相手は、こちらのことをそれほどには思っていなくても、言われて悪い気はしないはず。こちらを見る目が変わり、やがて相手もより親密な感情を抱いてくれるかも。

引き出しが豊富ですね

豊富な経験や知識を持つ人へのほめ言葉。仕事では「なるほど、そんなやり方があるんですね。本当に引き出しが豊富ですね」、趣味では「そんな歌までご存じとは。本当に引き出しが豊富ですね」のように使える。

夢がふくらみます

ポジティブに言えば「夢のある話」、ネガティブに言うと「法螺を吹く人」にかける言葉。相手の話を荒唐無稽と感じても、「気宇壮大なお話ですね。こちらまで夢がふくらみます」などと言っておけば、とりあえず話を合わせておける。

2 その場でもっともふさわしい ほめ言葉を使う

「会合・パーティ」の雰囲気をよくする言葉

○○さんと飲むお酒は格別ですね

一緒に酒を飲む人への社交辞令。とくに宴もたけなわ、話が盛り上がっているタイミングで使うと効果的なフレーズ。「○○さんと飲むお酒は、本当に美味しいですね」のように、親密な情を表すことができる。

（酒をつがれて）これは、これは。○○さん直々に光栄です

目上の人からお酌をされたときの挨拶かつ社交辞令。「これは、これは。部長直々に光栄です。いただきます」などと言って、軽く頭を下げればOK。単に「ありがとうございます」と言うよりも、和やかな雰囲気を演出できる。

注ぎ方がお上手ですね

ビールやシャンパンといった泡の出るお酒を上手についだ人には、こんなほめ言葉をかけたい。「ビールの注ぎ方がお上手ですね。私だと、泡だらけになってしまうんですよ」などと使う。ただ、男性が女性に声をかけるときは、十分注意を。冗談でも「注ぎ方が上手ですね。そういうお仕事でもされていたんですか？」などと言うと、セクハラになってしまう。

思わず時間を忘れてしまいました

接待されたときなどに、「今日の集まりはたいへん楽しかった」という気持ちを伝えるための定番フレーズ。楽しい時間はあっという間に過ぎてしまうという人間心理をふまえたセリフ。これなら「楽しかった」を使わずに「楽しかった」と伝えることができる。他に、「あっという間に時間が過ぎてしまいました」、「もうこんな時間ですか。お名残り惜しいです」も同様に使えるセリフ。

忘れられない経験をさせていただきました

相手がこちらを喜ばせようと、趣向を凝らした集まりを開いてくれたときなどに使えるフレーズ。「強く印象に残った」、「めったにない体験だった」という意味を込めて、興味深く楽しかったと思う気持ちを伝えられる。

こんなに大声で笑ったのは久しぶりです

社会人になると、大声で笑う機会が少なくなるもの。そこで、「久しぶりに笑う」と言うことで、ふだんはストレスの多い毎日を送っているが、「あなたのおかげで、リラックスした時間を持てました」と喜ぶ気持ちを伝えられるフレーズ。

有意義な時間を過ごすことができました

勉強会などが終わったあと、主催者や誘ってくれた人に対して使うフレーズ。時間を有意義に使えたと伝えることで、「参加してよかった」、「また機会があれば参加したい」という気持ちを表せる。相手に「誘ったかいがあった」、「会合を開いてよかった」と思わせるセリフ。

盛会でございましたね

パーティや展示会などに参加したとき、別れ際に主催者や関係者に言っておきたいひと言。実際にはさほど盛大ではなくても、極端に閑散とした集まりでない限り、「盛会」と言っておくのが大人の社交辞令。主催者や関係者は、そう言われることで「喜んでもらえた」、「招待してよかった」と満足できる。

お人柄ですね。大変な人数がお集まりで

出版記念パーティや長寿の祝いなど、個人を祝う会に招待されたとき、本人や本人と親しい人に使うフレーズ。会が盛況なさまを、個人の人徳によるものとほめることができる。受付に着いて、会場内のにぎやかな様子が感じとれたら、「大変な人数がお集まりのご様子で。お人柄ですね」と言っておけばいい。

あやからせていただきたい

お祝いの席用のほめ言葉の定番。たとえば、○周年パーティなら「ご繁栄にあやからせていただきたい」、受賞祝いなら「ご栄誉にあやからせていただきたい」というように使える。あなたと同じように繁栄したいなどと伝えることが、祝福の言

葉にもほめ言葉にもなる。

「招待された店」をさりげなくほめてみよう

さすが○○さんのおすすめだけあって、いいお店ですね

飲食店に招待されたときは、こんな言葉で相手のセンスのよさをほめるといい。「居心地のいいお店ですね。さすが○○さんの行きつけだけあって、落ち着きます」、「部長が教えてくださったお店は、何を食べてもおいしいですね」のようにもアレンジできる。とりわけ、お店選びにプライドをもっている相手に使いたいフレーズ。

一度、来てみたいと思っていたんですよ

予約がなかなか取れない、紹介者がいないと入店できないといった有名店に招待されたときに使いたいフレーズ。「雑誌やテレビで見ていました。一度、来てみたいと思っていたんですよ」のように。たとえ、事前にその店のことを知らなかったとしても、こう言えば相手の顔を立てることができる。

雰囲気のあるお店ですね

インテリアや照明に力を入れている店に案内されたときは、こんなほめ言葉を使うといい。「ピアノの生演奏があるなんて、雰囲気のあるお店ですね」のように。とくに個性的な内装の飲食店に招待されたら、料理や飲み物が出てくる前に、まずは雰囲気をほめたいもの。

小粋なお店ですね

和食割烹《かっぽう》の店や小料理屋に招待されたときにぴったりくるほめ言葉。「この路地裏に、こんな小粋なお店があったんですね。今日、はじめて知りました」、「さすが○○さんですね。小粋なお店をご存じですね」などと使う。

甘さ控えめでおいしいですね

ケーキや和菓子などの甘味を食べたときに使えるほめ言葉。「私は甘すぎるものが苦手なのですが、このケーキは甘さ控えめでおいしいですね」、「この和菓子、甘さ控えめでおいしいですね。何個でも食べられそうです」などと使う。洗練された味の菓子を選んだ相手のセンスをほめることができる。

うちでは出せない味ですよね

レストランで、プロの味に出会ったときは、この言葉を使いたい。「このカレー、スパイシーでとてもおいしいですね。うちでは出せない味ですよね」など。

○○があんなにおいしいものとは知りませんでした

珍しい食材や特別においしい料理をご馳走になったときに使いたいほめ言葉。「今まであまり食べたことがなかったのですが、フォアグラがあんなにおいしいものとは知りませんでした」、「いつも食べている野菜が、あんなにおいしいものとは知りませんでした」など。ご馳走してくれた相手も、このひと言で満足してくれるはず。

はじめて味わう珍味に、思わず酒が進んでしまいました

お中元やお歳暮で高価な珍味をもらったときには、礼状やお礼メールにこんなひと言を添えたい。「珍しいお品を頂戴しまして、まことにありがとうございます。はじめて味わう珍味に、思わず酒が進んでしまいました」など。

ここの板前さん、いい腕してますね

プロの料理をご馳走になったときに使う感嘆の言葉。「何を食べてもおいしいですね。ここの板前さん、いい腕をしていますね」、「いい腕の板前さんなんでしょうね。こんなにおいしい○○を食べたのは、はじめてです」のように。板前さんの腕をほめることで、その店を選んだ相手の食通ぶりを持ち上げることができる。

さすが、舌が肥えていらっしゃいますね

グルメで知られる人へのほめ言葉。「食材の産地まで当てられるとは、さすが、舌が肥えていらっしゃいますね」、「○○さんは、舌が肥えていらっしゃいますね。シェフが変わったなんて、私にはまったくわかりませんでした」などと使うといい。味覚が鋭い人はもちろん、料理に関するウンチクを傾ける人に対して、あいづちのようにも使える。

お手本のような箸使いですね

箸使いが上手な人へのほめ言葉。「まるでお手本のような箸使いですね。私は箸

使いが苦手で、この年になってもまだ上手に使えないんですよ」などと言う。「箸使いが上手」とほめることは、「人柄・しぐさに品がある」とほめることにつながる。

おいしそうに食べるなあ

食事をともにした人の食べ方をほめる言葉。とりわけ、食べっぷりのいい部下や後輩に対して使いたい。「○○さんは、じつにおいしそうに食べるね。こちらもつられてたくさん食べてしまいそうだよ」、「おいしそうに食べてくれて、こちらもご馳走した甲斐があるよ」などと使う。なお、目上の人に対して使うのは、丁寧語で言っても失礼になる。

初物ですね

鰹やタケノコのような、旬の時期がはっきりした料理をご馳走になったときは、「初物ですね」とひと言声をかけるといい。「初物を食べると、寿命が七十五日延びる」といわれるように、日本食では初物を珍重する。そんな食材を用意してくれた相手の心遣いにきちんと応じるのが大人の礼儀というもの。なお、鰹とタケノコは

3月頃が初物の時期。

香りがすばらしいですね

香りのよい食べ物をご馳走になったときのひと言。「ふきのとうの香りがすばらしいですね。春を感じました」、「ハーブとにんにくの香りがすばらしくて、食欲をそそりますね」などと使う。単に「おいしい」とほめるより大人っぽい印象になる。

歯触りが楽しめますね

シャキシャキとした歯触りの料理を食べたときは、そこにスポットを当ててほめるといい。「タケノコの歯触りがいいですね。料理全体のアクセントになっていますね」、「歯触りが楽しめるのも、新鮮な食材を使われているからですね」のように。とくに、レンコンやごぼうなどの固めの野菜が、上手に調理されているときに似合うセリフ。

珍しいものをいただきました

キャビア、フォアグラ、トリュフ、からすみ――といった珍味をご馳走になったときに使うほめ言葉。「珍しいものをいただきました。なかなか普段は、食べる機会がございませんので」などと使う。そういった珍味がふるまわれるのは、特別な計らいがあってのこと。相手に「心づくしを理解していますよ」とメッセージを伝えるのも大人のテーブルマナーの一つといえる。

こんなにおいしい○○をいただくのははじめてです

こだわりの一品を食べたときに使える最上級のほめ言葉。「こんなにおいしいアユをいただくのははじめてです」、「これほどおいしいタケノコをいただくのははじめてです。おいしいものは、生のままで食べられるんですね」などと使う。もてなした側の耳に、心地よく響く言葉。

「おもてなし」をほめるにはコツがいる

料理がとてもお上手でいらっしゃいますね

料理上手の奥さんらにかけるほめ言葉。手慣れた料理をふるまわれたときには、「奥様は料理がとてもお上手でいらっしゃいますね。○○さんがうらやましいです」、

「本当に料理がお上手ですね。この煮物、どうやって作るのですか」などと声をかけるといい。奥さんをほめれば、その家の主人にも喜ばれる。

どうしたら、こんなにいいお味が出せるのでしょう

味付けが絶妙な料理を食べたときに使う言葉。「どうしたら、こんなにいいお味が出せるのでしょう。塩味の料理って、シンプルなだけに難しいんですよね」、「野菜だけで、どうしたらこんなお味が出せるのでしょう。とてもおいしいです」などと使うといい。

こんなにすばらしいお料理、手をつけるのがもったいないくらいです

見た目が美しい料理を前にしたら、「手をつけるのがもったいないくらいです。じつに美しいですね」などと、最初にほめておくと、その後の会食が楽しいものになるもの。

料理屋も顔負けですよ

手慣れた手料理をふるまわれたときに使えるほめ言葉。たとえば「茹で加減や焼

き加減が絶妙ですね。料理屋も顔負けといった腕前ですね」などとほめる。相手に「大げさだ」と思われないようにするためにも、料理上手で通っている人に対して使うとよい。

「訪問先」でほめるときのポイントは？

駅に近くて、便利でいいですね

新居に遊びに行ったときに伝えると喜ばれるほめ言葉。「駅まで5分とは、便利でいいですね」、「駅にもスーパーにも近くて、便利ですね。すばらしい立地で」などと使う。駅に近いということは、それだけ条件のいい物件に住んでいるという意味になるので、立派なほめ言葉になる。

すばらしいところに住んでいらっしゃいますね、うらやましいです

人から自宅の住所を聞いたときに使えるほめ言葉。「世田谷区の○○にお住まいなんですね。すばらしい所に住んでいらっしゃいますね」、「文教地区として有名な場所ですね。すばらしい環境と聞いています。うらやましいかぎりです」などと使う。

住みやすいところだと聞いています

転居する人に向けてかける言葉。転勤などで見知らぬ土地に引っ越す人がいたら、こんな言葉で送り出したい。「○○市ですか。あそこは環境がよくて、住みやすいところだと聞いています。楽しみですね」など。とくに慣れない土地への不安感をつのらせている人には、こうした気遣いが喜ばれるもの。

とても素敵なお住まいですね

インテリアのセンスがよい家に招かれたときに使えるほめ言葉。「とても素敵なお住まいですね。インテリア雑誌から抜け出たようですね」、「赤いソファが印象的ですね。センスのいい○○さんらしい、素敵なお住まいですね」など。きれいな住まい全般に使える無難なほめ言葉。

落ち着いた玄関ですね

はじめて訪れる家をほめるときは、まず玄関に注目するといい。きれいに片付いていたら「落ち着いた玄関ですね。インテリアも素敵ですね」、「玄関がきれいに掃除されていて、落ち着きます」などが適切なフレーズ。玄関は、その家を代表する「顔」のようなもの。掃除に力を入れているケースも多いので、忘れずにひと言ほめておきたい。

お手入れが行き届いていて

知人の家の花壇など、おもに庭回りをほめるフレーズ。「お庭にお花がいっぱい。お手入れが行き届いていて、美しいですね。見ていると癒されます」、「イチゴってこんなに実がなるものなんですね。お手入れが行き届いているからですね」などと使う。家主が丹精込めて世話しているものを見つけたら、そこに注目してほめると喜ばれる。

ほんとうにすばらしい眺めですね

知人の家からの眺めがよかったときには、ぜひ使いたいほめ言葉。「高層ビルならではの眺めですね。スカイツリーがこんなに近くに見えるなんて、ほんとうにすばらしい眺めですね」、「窓から桜が見えるんですね。春になったらさぞかしすばらしいことでしょう」など。

さすが、きれいにしていらっしゃる

掃除の行き届いた部屋に案内されたときに使うほめ言葉。とりわけ、相手の自宅の座敷や応接室に対して使うと、ぴったりくる。なお、「さすが、○○でいらっしゃる」は、○○にさまざまな形容詞、形容句を入れて使えるパターンなので、頭に入れておきたい。

きちんと片付いていますね

他人の家に招かれたとき、物がきれいに整理整頓されていたら、「きちんと片付いていますね。すっきり暮らしていらっしゃって、わが家とは大違いです」、「さすがきれいに片付いていますね。見習いたいです」などとほめるとよい。むろん、ある程度片付いた家にしか使えない言葉。

インテリアのセンスがすばらしくて、うらやましいです

インテリアにこだわりをもつ人の自宅を訪れたときには、家具や調度品についてほめるといい。「白で統一されているんですね。インテリアのセンスがすばらしく

て、うらやましいかぎりです」など。有名デザイナーの家具がある、部屋の色調が統一されているなど、インテリアにこだわりを感じたときには、すかさず話題にとりあげよう。

こんなに多くの賞状を見たのははじめてです

もし、知人の自宅で賞状や感謝状などを見かけたら、そこをほめると喜ばれる。

「こんなに多くの賞状を見たのははじめてです。全部、ご主人のものですか？」、「ずいぶんたくさんの賞状ですね。これほど多くの賞状は見たことがないです。ご自慢の息子さんですね」など。

いい目の保養をさせていただきました

招かれた家で、美術品などを披露されたときに使えるフレーズ。「素敵なお茶碗ですね。いい目の保養をさせていただきました」、「これはこれは。立派な掛け軸ですね。目の保養をさせていただきました」など。本物のお宝にも、そうではないものにも、どちらにも使えるフレーズ。

STEP3

「語《ご》彙《い》力」があれば、こうほめることができる

1 ほめ上手は、言葉を知っている人

「熟語」を使ってほめてみよう

「出色」の出来栄えですね

「出色」は、ほかよりも目立ってすぐれていることで、「出色の出来栄え」が定番の使い方。「出色の作品」、「出色の成績」など、さまざまな形容、ほめ言葉に使うことができる。

まさしく「瞠目」すべき意見ですよ

「瞠目」は、驚いて目を大きく瞠《みは》ることで、「注目すべき」という意味がある。また、「刮目《かつもく》」は、もとは目をこすって見るという意味で、「瞠目」と同様に「刮目すべき意見」などと使える。

業界でも「屈指」の専門家とお聞きしています

「屈指」は、指を折って数え上げられるくらい、すぐれていること。「屈指の人材」、「屈指の研究者」など、指折りの存在であるという意味のほめ言葉として使える。

「碩学《せきがく》」にご教示いただくとは光栄です

「碩きい」で「おおきい」と読み、「碩学」は学が広く深いという意味、そこから大学者を意味する。おもに、大学の先生を持ち上げるときに使う熟語。

「真摯《しんし》」な態度に頭が下がります

「真摯」は、ひたむきでまじめな態度。「○○さんの、仕事に取り組む真摯な態度には頭が下がります」などと使う。

いつも「矍鑠《かくしゃく》」とされていますね

「矍鑠」は、年をとっていても、元気な様子。「とても米寿とは思えないほどに、矍鑠とされていますね」などと使う。

さすがは「生粋」の○○

「生粋」は、出身や素性などにまじりけがなく、純粋であること。「さすがは生粋の江戸っ子」が定番の使い方。

「形容する言葉」を使ってほめてみよう

「著しい」進歩ですね

「著しい」は、はっきりわかるほど目立つさま。「すごい」と言いたいところを「著しい」に言い換えると、語彙が豊富に聞こえる。「著しい成果ですね」、「著しい業績ですね」のように。

「瑞々《みずみず》しい」感覚だと思いました

「瑞々しい」は、新鮮で生気があるさま。仕事関係では、「瑞々しい感覚に溢れたアイデアですね」、「瑞々しいセンスに期待しますよ」など、感覚やセンスにかかることの多い形容詞。

「凛々《りり》しい」表情だなあ

「凛々しい」は、態度や表情が、きりりとひきしまっているさま。ほめ言葉としては、「凛々しい青年」や「凛々しい表情」がよくある使い方。

「屈託のない」笑顔ですね

「屈託」は気にかかること。「屈託のない」は、それが「ない」ことから、心配事がなく、気楽なさまを表す。ポジティブな形容としては、「屈託のない笑顔を浮かべる」や「屈託を感じさせない青年」などが定番の使い方。

じつに「福々しい」方ですね

「福々しい」は、太っているという意を含んではいるが、にこにこしているという意味合いが強いので、ほめ言葉として使える。「○○君のお母さんは、じつに福々しい方で…」というように。

「栄《は》えある」○○を手にされたと伺いました

「栄えある」は、名誉あるという意。「栄えある○○賞を受賞されたと伺いました」、「栄えある優勝を祝して、乾杯！」というように、受賞や優勝をめぐる祝辞、社交辞令には欠かせない言葉。

「錚々《そうそう》たる」メンバーがそろっていますね

「錚々たる」は、多くの中でとくにすぐれているさま。「錚々たるメンバーがそろっていますね」、「錚々たる人材が集まっていますね」などが、定番の使い方。なお、「錚」は「どら」と訓読みし、もとは鍛えた金属の冴えた音を表す漢字。

「新鮮な言葉」を使ってほめてみよう

わが社にとっては、「救世主」のような存在です

「救世主」は、人類を救済する者のことで、キリスト教ではイエス・キリストを指す。比喩的には、組織などを苦境から救う人という意味で使われ、とくに普通の人にはできないことをした人へのほめ言葉に使える。たとえば、業績をV字回復させ

た立役者などに対して使うとぴったりくる。

さすが、「名参謀」ですね

計画・立案が得意な〝知性派〟に対するほめ言葉。「参謀」は本来は、軍隊で作戦や用兵を担当する将校のこと。そこから、比喩的に、会社などの組織で計画・立案を担う人を指す。「さすがは、チームの名参謀ですね」のように使える。

さすがは、「知恵袋」といわれる方です

前項の「名参謀」と同様、〝知性派〟へのほめ言葉。「さすがは、社長の知恵袋ですね」、「さすが、知恵袋の名にふさわしいですね」のように使える。

さすが、「カミソリ」といわれるだけの人ですね

頭の切れる人に対するほめ言葉。「カミソリ」はむろん鋭い刃物のことであり、そこから頭の回転が鋭く、切れる人を意味する。「カミソリのように切れる人です」、「カミソリ○○」（○○には、その人の名前が入る）のように使う。

○○きっての「猛者《もさ》」ですね

「猛者」は勇ましくて強い人のことをいい、体力・腕力自慢の人に対して使う言葉である。「さすが、○○大柔道部出身の猛者」などと使う。また、体力・腕力を離れ、仕事上の凄腕という意味でも使える。「さすが、猛者ぞろいの営業部隊ですね」のように。

「筋金入り」の営業マンですね

「筋金入り」は、経験豊富で、心身ともに頑健な人を形容する言葉。柱材に筋金を入れると強度が上がるように、心や体が強健な人を指す。「筋金入りの経営者」や「筋金入りの営業マン」のように使う言葉。

将来の○○を「背負って立つ人材」です

組織の将来を担いそうな若手に対して、期待をこめてかける言葉。今後、伸びそうな若手社員や、将来出世しそうな中堅社員は「小社の将来を背負って立つ人材です」と形容できる。

私にとっては「神様」のような存在です

「神様」は神を敬う語。そこから、自分にとってひじょうにありがたい人や、苦境を救ってくれた人を指す。また、あるジャンルの権威という意味でも用いられ、「○○さんのような経理の神様に、お教えいただけるとは光栄です」のようにも使える。

「時代の寵児」という言葉にふさわしい人です

「寵児」は、かわいがられる子供のこと。そこから、比喩的に「時代の寵児」や「文壇の寵児」のように使う。「まさしく、時代の寵児という言葉にふさわしい活躍ぶりですね」など。

「無冠の帝王」と言ってもいい存在です

「帝王」は、国の支配者。そこから、「無冠の帝王」は、比喩的に、ある世界で、地位はないが、実力のある者に対して使う言葉。

さすが「名人肌」の○○さん

名人肌は、「世俗を超越している」、「一徹で気難しい」という意味で使われることもあるが、使い方によってはほめ言葉にもなる。「いつも手を抜かずに完璧を目指すなんて、さすが名人肌の○○さんですね」など。類似した言葉に「職人肌」、「学者肌」がある。

「一角の人物」ですね

立派ですぐれている人をほめる言葉。「一角の人物とお見受けしました」、「彼は仕事熱心だから、一角の人物になりそうですね」などと使う。本人に対して直接使うよりも、当人がいないときに間接的にほめる〝陰ぼめ〟でよく使われる。

「四字熟語」を使ってほめてみよう

「一騎当千」の強者《つわもの》揃いです

「一騎当千」は、たった一人で大勢の兵力と戦えるほど強いことを意味し、やり手として知られる人をほめるときに使える。「○○さんのお仲間は、一騎当千の強者揃いとお聞きしました。一度、お力を貸していただけないでしょうか」など。「百人力」や「千人力」も同じ意味で使うことができる。

「豪放磊落《らいらく》」な性格だから、決断が早い

豪放磊落は、度量が大きく、小さなことにくよくよしない様子を指す言葉。細かいことを気にしない、明るく豪快な人をほめるときに使える。「○○さんは、ああ見えて豪放磊落な性格だから、決断が早いんです」などと使う。

「前人未到」と言ってもいいんじゃないかな

すぐれた記録や業績を残した人を、ほめたたえる言葉。「営業成績が全国ナンバー3に入ったと聞いたよ。この支店からは前人未到と言えるんじゃないかな」、「これは前人未到の記録ですよ。さすが○○さんですね」などと使う。誰もその境地に達していないことを表す言葉なので、それなりの業績を残した人に対して使いたい。

「八面六臂《ろっぴ》」のご活躍ですね

多方面で活躍している人をほめる言葉。八面六臂とは、八つの顔と六本の腕という意味。そこから、各方面で何人分もの働きをするなど、目覚ましい手腕を発揮することをいう。「まさしく八面六臂のご活躍ですね」、「○○さんほど、八面六臂と

いう言葉が似合う人もいないでしょうね」などと使える。

「軽妙洒脱」な文章ですね

人柄や会話が洗練されている人をほめる言葉。「○○さんのお話には、いつもひきこまれてしまいます。軽妙洒脱なお話とは、このことですね」、「ブログ、拝見しました。軽妙洒脱な文章で、面白いですね」などと使える。「軽妙」は軽やかでうまいこと、「洒脱」は垢抜けしてさっぱりした様子をさす言葉。

○○さんは「百戦錬磨」とお聞きしました

多くの経験をつんだベテランをほめるには、「百戦錬磨」というフレーズがぴったり。「○○さんは百戦錬磨の営業マンだとお聞きしました。営業の秘訣を教えてください」など。なお、百戦錬磨と意味が似た言葉に「海千山千」があるが、こちらはしたたかな人というニュアンスを濃厚に含むので、ほめ言葉には使えない。

2 〝角度〟のあるほめ方に欠かせない慣用表現

ひと味違うほめ方ができる人の共通点

これはもう「天《てん》賦《ぷ》の才」と考えるしかない

「賦」は与えられたものという意味で、「天賦の才」で天から授かった才能を指す。「彼女は企画力にかけては天賦の才を持っている」など。生まれつき資質のある、才能豊かな人をほめるときに使える言葉。

「外《け》連《れん》味《み》」がなく、好印象でした

まっとうでごまかしのない人柄や行為をほめるときに使える言葉。「今日のプレゼンは外連味がなく、好感がもてましたよ」、「○○くんの企画は、一見地味ですが、外連味がなく、実現性があるんじゃないですか」など。「外連味」は、もとは派手な演出をするという意味で、歌舞伎の用語。転じて、ごまかしやはったりという意味になった。

○○にも「造詣《ぞうけい》が深い」んですね

ある分野について、とくに詳しい人をほめる言葉。なかでも、学問や技芸に精通している人をほめるときによく使われる。物知りな人には「古典だけでなく、現代小説にも造詣が深くていらっしゃるんですね」、「クラシックに造詣が深い○○さんのお話を伺いたいのですが……」などと使うと、喜ばれる。

○○と比べても、「遜色のない」腕前ですよ

「遜色」は劣っていること、「遜色のない」はそれが「ない」様子で、見劣りしないという意味。「先代と遜色のない腕前です」、「過去の作品と比べても、遜色のない出来ですね」など、上級者などと比較しても「決して負けていない」という意味で使える。

「感嘆に価する」腕前ですね

「感嘆に価する」は、感心してほめたたえるのに価するさま。すばらしい仕事やモノを「感嘆に価する成果だと思いますよ」、「まさしく感嘆に価する作品ですね」とほめあげることができる。

「破れてなお強し」と思わせる戦いぶりでした

「破れてなお強し」は、敗者の力量を評価し、元気づけるための常套句。「破れてなお強しと思わせる戦いぶりでした」がよくある使い方。

「大輪の花」が咲きましたね

「大輪の花が咲く」は、大きな成功をつかんだり、成果を得ることで、見出しのフレーズは、長年の努力の結果、大きな成果をあげた人への賛辞。「長年の研鑽が実り、見事、大輪の花を咲かせられました」のように、祝辞やスピーチでよく使われる言葉。

「○○のような」のパターンは、ほめ技の王道

「白魚のような」指ですね。

女性の白く細い指をたとえていう言葉。「ピアニストのような指」も同様に使える〝比喩系〟のほめ言葉。

「鈴をころがすような」声ですね。

「鈴をころがすような」は、女性の澄んだ声が美しく響く様子のたとえ。鈴をころがすと美しい音色がすることから。「鈴をころがすような、美しい声ですね」など。

「水を得た魚のような」活躍ぶり

「水を得た魚」は、自分に合った場所を得て、生き生きとしているさま。希望の部署に移って活躍しはじめた人などに対して、「ここのところ、水を得た魚のようなご活躍ぶりと仄聞《そくぶん》しています」のように使える。

顎が落ちそうですよ

「顎が落ちそう」は、たいへん味がよいことのたとえ。「本当に美味しいですね。顎が落ちそうですよ」など。「ほっぺたが落ちそう」も同様に使える定番の比喩。

「慣用句」も「ことわざ」も使い方が決め手

「〇〇」という言葉は、〇〇さんのためにあるね

人をほめるときに、有名なことわざや慣用句を使うと、それらしく聞こえるもの。「〇〇さんは、いつも笑顔で元気がいいね。笑う門には福来たるっていう言葉を思い出すよ」など。一方、「猫に小判」や「棚からぼたもち」といった相手をけなすことになることわざを使わないように注意したい。

「大向こうを唸らせる」ような活躍ぶり

「大向こう」は、芝居小屋の舞台の正面、その最後方にある観客席のこと。そこは目の肥えた客の集まる場所であり、「大向こうを唸らせる」は、もとはそうした芝居通さえ唸らせるほどのすばらしい演技をするという意。そこから、すばらしい活

躍ぶりで高い評価を得ることを意味する。「大向こうを唸らせるような活躍ぶりですね」など。

「端倪《たんげい》すべからざる」青年ですね

「端」は始まり、「倪」は果てという意味で、「端倪すべからず」は始めと終わりが見えない、つまり「測り知れない」こと。ほめ言葉としては、並の人間には測り知れないほど、優秀なことの形容に使う。「端倪すべからざる青年」は、将来、どこまで成長するかわからないほどの逸材という意味を含んでいる。

まさしく、「後生畏《おそ》る可し」ですね

「後生畏る可し」は、後から生まれてくる人（後生）は、新知識や知恵を身につけるので、決して侮れないという意。「若い方にはかないませんよ。後生畏る可しです」などと、自分よりも年若の人を持ち上げるときに使う。

「白眉」といえる存在

「白眉」は、多数あるなか、最も優れている人のこと。中国の三国時代、蜀の馬氏

の五人兄弟はそろって優秀だったが、眉に白い毛（白眉）のある長兄の馬良が最もすぐれていたことから。「小社の技術者のなかでも、白眉といえる存在」、「同窓生のなかでも、白眉と呼べる逸材」などと使う。

「縁の下の力持ち」として支えてくれました

人知れず努力や苦労をする人をたたえる言葉。力になってくれた人を「縁の下の力持ちとして仲間を支えてくれた○○さん抜きには、今回の成功は考えられません」などとねぎらうことができる。

「竹を割ったような性格」ですね

さっぱりとした性格をほめるフレーズ。「彼は根に持つタイプではないので、心配しなくても大丈夫ですよ。竹を割ったような性格ですからね」などと使う。竹が一直線に割れることから、素直で気性がまっすぐな人を「竹を割ったよう」と言う。

「飛ぶ鳥を落とす勢い」ですね

仕事などで波にのっている人をほめるフレーズ。「○○さんは、今や飛ぶ鳥を落とす勢いですね。あやかりたいものです」、「ご活躍ぶり、耳にしています。飛ぶ鳥を落とす勢いですね」などと使う。時の人をほめるときに、ぴったりの言い回し。

「大船に乗った気持ち」で、おまかせします。

「大船に乗った気持ち」は、小舟ではなく、大きな船に乗って航海するときのように、すっかり安心していられるさま。ビジネスシーンでは、「○○さんにお願いできれば、大船に乗った気持ちでおまかせできます」のように、仕事を依頼するときなどに相手の力量を持ち上げるフレーズとしてよく使われている。

「虎に翼」のようなご活躍ぶり

「虎に翼」は、ただでさえ強い虎に翼をつければ、手がつけられないほど、強くなってしまう。そこから、力ある者がさらに力をつけることのたとえ。「○○さんがその肩書を得れば、まさしく虎に翼ですね」などと使える。

「一を聞いて十を知る」とは、このことだね

飲み込みが早い人に対して使うほめ言葉。「一を聞いて十を知るとは、このこと

だね。君はカンがいいので、教える側としても助かるよ」など、おもに目上が部下をほめるときに使えるフレーズ。

「名将は名将を知る」とはこのことですね

「名将は名将を知る」は、名将（すぐれた将軍）の技量は、名将にしかわからないという意。そこから、人物の優秀さは優秀な者にしかわからないという意味。「名将は名将を知るとは、このことですね」と言えば、二人の〝名将〟を同時に持ち上げることができる。

「痒いところに手が届く」とは、このことだね

気が利く人は、こんな言葉でねぎらうといい。「○○さんは本当に気が利くね。痒いところに手が届くとは、このことだね。いつもありがとう」などと使う。「痒いところに手が届く」というのは、細かなところまで気がつき、配慮が行き届いていることのたとえ。気をつかってくれる友人や後輩、部下などをほめるときに使うとよい。

「栴檀《せんだん》は双葉より芳《かんば》し」って、○○さんのようなことを言うのですね

子供や少年、あるいは若くて見所のある人をほめる言葉。「栴檀は双葉より芳し」とは、「栴檀」（白檀の別称）が発芽する頃からよい香りを放つように、将来大成する人は子供の頃からすぐれているという意味。

特集

大人のほめツボ

自信を持ってほめるための法則 20

ほめツボ 01 「はじめまして」で終わりにしない

心理学の実験によると、人間は出会ってから90秒間のうちに、好印象・悪印象を判断しているという。だから、初対面の場合、最初のあいさつが人間関係のその後を決めるうえで、ひじょうに重要な要素になる。

初対面のあいさつは、「はじめまして」が定番フレーズだが、ひと言加えたい。「はじめまして」のあとに、「お目にかかれて光栄です」、「一度、お会いしたいと思っていました」などとつけ加えると、相手をほめることができる。

ほめツボ 02 あいさつ＋ポジティブなひと言でワンセット

「あいさつ」は、良好な人間関係を築くうえで、ひじょうに重要。あいさつで第一印象をよくすれば、その後、相手の好感を得やすくなる。

たとえば、朝、あいさつするとき、単に「おはようございます」とだけ言うと、ぶっきらぼうな印象を与えてしまうことがある。相手と親密な関係を築くためには、やはり「おはようございます」にひと言添えるといい。そのひと言はポジティブな言葉が望ましく、たとえば、天気関係なら、「いい天気ですね」や「風がさわやかですね」がふさわしい。笑顔とともにポジティブな言葉を付け加えれば、相手からも笑顔が返ってくるはずだ。

さらに、単に「こんにちは」と言うよりも、「○○さん、こんにちは」と相手の名前を呼びかけたほうが、親密な感じのあいさつになることも頭に入れておきたい。

ほめツボ 03 あいさつは、声と目線がポイント

「おはようございます」、「こんにちは」、「こんばんは」などを暗い声で言われると、いい気持ちはしないもの。自分があいさつするときは、自分のいちばん明るい声で発声するようにしたい。

加えて重要なのは、目線の使い方。相手の顔をしっかり見て、視線が合った

ら、あいさつの言葉を述べ、頭を下げてお辞儀をする。

それとともに、視線を下げる。視線を相手に合わせたまま頭を下げると、相手の様子をうかがっているようで、悪印象を与える原因になってしまう。

ほめツボ 04　はじめてなら、まず名刺と名前をほめる

人間関係を円滑にスタートさせるコツは、初対面のときに、できるかぎりすみやかにほめること。初対面の人とは、名刺交換した瞬間、ひと言ほめることを習慣にしておくくらいでいい。

その際、ほめポイントとなるのは「名刺」。相手の名刺に何か工夫がしてあれば、それをほめればいいし、珍しい名前の場合は「立派なお名前ですね」とほめればいい。まず、名刺か名前をほめて人間関係が円満にスタートすれば、こんなに安い言葉の投資はない。

ほめツボ 05　思い立ったがほめどき

対人関係は、相手を一度ほめれば、それでいいというものではない。「友人や知人と会うたびに、一か所はほめる」ことを習慣にしておくと、人間関係は確実に好転していくはずだ。

ほめるポイントは、「今日も素敵なファッションですね」、「相変わらず、時間に正確ですね」のように、小さなことでＯＫ。服装、持ち物、相手の態度や物腰など、相手に関することは、何だって〝ほめネタ〟になる。

大事なのは、ほめるポイントを見つけたときは、その場でさっさとほめることだ。「あとで、ほめよう」と思って放っておくと、ズルズルと時間が経っていることがあるもの。何日かしてからほめたところで、相手はさほどうれしくは感じないはず。人をほめるときは、思い立ったがほめどき。ひと言でもいいから、即座にほめることだ。

ほめツボ 06　お世辞は、照れずにヌケヌケと

広辞苑によると、「お世辞」とは、「相手を喜ばせようとして、実際以上にほめることば」とある。つまり、普通の「ほめ言葉」は事実をほめるのに対し、「お世辞」は事実を誇張してほめる言葉といっていいだろう。

そのため、お世辞を口にすることに、気恥ずかしさをおぼえる人もいることだろう。しかし、お世辞こそ、ヌケヌケと言ってこそ、効果が大きくなる。照れくさそうに言うと、お世辞であることがバレバレになってしまうが、照れずに堂々と口にすると、〝実際以上にほめた〟ようには聞こえないのだ。

ほめツボ 07　具体的にほめよう

人をほめるとき、「それ、すばらしい」、「いいですねえ」などと、具体性に欠ける形容詞を使っていると、ほめ効果はしだいに薄れてくる。

相手を持ち上げる言葉に説得力を持たせるには、できるかぎり具体的にほめることだ。「色使いがすばらしいですね」、「目の付けどころがいいですね」などと、どこがどうすぐれているかを具体的に指摘するほど、ほめ効果は高くなる。

ほめツボ 08 ほめる理由を伝えよう

具体的にほめるのに加えて、理由や根拠を添えることを意識しよう。単に「いいですね」、「素敵ですね」と言うだけでなく、そう感じる理由を短く述べるのだ。

少しでも理由を添えると、ほめ言葉の印象はまるで違ってくる。ほめる理由があれば、相手は、ただのお世辞ではないと、自分への評価の高さを実感できる。その分、〝ほめ効果〟がさらに大きくなるというわけだ。

ほめツボ 09　あいづちはオーバーなくらいでちょうどいい

初対面の相手には、〝あなたの話を聞いていますよ〟というあいづちのサインが伝わりにくいもの。そこで、会話のペースがつかめるまでは、「ええ」や「なるほど」だけでなく、「よくわかります」や「本当にそうですね」と、少々オーバーに聞こえるくらいのあいづちを打つといい。

むろん、否定的なあいづちはＮＧ。たとえば、驚きを表すにしても、「本当ですか」、「まさか」、「そんなー」といった相手の言葉に疑問をはさむようなあいづちは避けることだ。こちらは、軽い気持ちで口にしたとしても、相手は話の腰を折られたように感じ、口が重くなってしまう。「なるほど」や「ほう」など、肯定的なあいづちを選ぶようにしたい。

とりわけ注意したいのは、無口や口ベタな人物ほど、聞き手の態度やあいづちに敏感という点だ。相手が無口だと、沈黙がこわくて、自分の話ばかりしがちなものだが、むしろ口ベタな人物と話すときこそ、聞く力が試されている。

ほめツボ10　あいづちの頭に「あいうえお」を置いてみよう

あいづちの頭には、「あ・い・う・え・お」をつけると効果的になる。

たとえば、「そうなんですか」の頭には、「あ」、「え」、「お」をつけて、「あっ、そうなんですか」、「え〜、そうなんですか」、「お〜、そうなんですか」と言うと、効果的なあいづちになる。

また、「驚きました」の頭には「い」をつけて、「いやー、驚きました」、「本当ですか」には「う」をつけて、「うわ〜、本当ですか」と言うとよい。あいづちに感情が込もり、相手をより効果的にほめることができるはずだ。

ほめツボ11　〝無言のあいづち〟のほうが、効果的な場合もある

あいづちは、「なるほど」、「ほう」などと、言葉で打つものと思いがちだが、

黙って聞くだけでも、立派なあいづちになる。そのとき、〝物を言う〟のは顔の表情。相手が楽しい話をして、その話を面白いと思ったら、目を大きく見開く。それだけでも十分、あいづちになる。

一方、相手が不幸な話をしはじめたときには、「おつらいでしょうね」と言葉で言うよりも、さも気の毒そうな顔で聞くことが、いちばんのあいづちになることがある。

ほめツボ12　自慢話を引き出す〝誘い水〟の使い方

大人同士の会話では、いきなり自慢話をしはじめる人はいないから、相手に気持ちよく自慢話をしてもらうには、多少の事前調査が必要になる。

たとえば、相手がゴルフ上手とわかれば、「最近、調子はどうですか」と話をふればいいし、相手の子供が難関校に合格したと知っていれば、「お子さん、受験でしたよね」と話題を振ればいい。多くの親は、喜んで話しはじめることだろう。

このように、きっかけを上手に与えれば、大の大人も、気持ちよく自慢話をしてくれるものである。

ほめツボ13　人の家を訪ねるときは、ほめ言葉を〝手土産〟にする

人の家を訪ねるときは、手土産とともに、ほめ言葉を〝持参〟したい。自宅訪問時に家をほめるのは、大人の訪問マナーといってもいいくらいだ。

家をほめる定番フレーズは、「住み心地がよさそうですね」、「便利そうですね」、「日当たりがいいですね」など。「見晴らしがいいですね」や「間取りがいいですね」も、多くの家に対して使えるフレーズ。このなかからでも、一つか二つは当てはまるフレーズがあるはずだ。まずは、手土産とともに、こうした言葉を繰り出すのが大人の常識といえる。

ほめツボ14　自分の趣味ではなく、相手の趣味を話題にする

雑談では、自分の趣味ではなく、相手の趣味を話題にするのが基本である。自分の特技やよく知っていることなら、相手は話しやすいし、こちらもほめやすいというもの。

とりわけ、口数の少ない人には、相手の趣味の話を振るといい。口下手な人は、抽象的な話題を振られると、ますます口が重くなってしまうもの。自分の趣味なら、多少は口が軽くなるだろうから、相手が話しはじめたら、じっくりと聞くといい。

ほめツボ15　ほめ言葉をリアルにするには、具体的な数字

スピーチなど、人前でほめるときには、数字を使うと、ほめ言葉がよりリアルに響く。

たとえば、「多大な実績をあげられ〜」と言うよりも、「売り上げを2倍にするという多大な実績をあげられ〜」と言ったほうが、ほめ言葉がよりリアルに伝わる。

むろん、そのほうが、相手へのほめ効果が高くなることは言うまでもない。単なる〝ごますり〟とほめ上手の違いは、ズバリ言葉の説得力にある。

ほめツボ16　交渉ごとこそ、ほめ言葉からはじめる

交渉ごとを成功させるには、まずは相手を持ち上げることを考えたい。「近頃の業績の好調ぶり、うらやましいかぎりです」などと切り出せば、相手はそれがお世辞とわかっていても、多少は気分をよくする。

不機嫌にさせるよりは、いい気分にさせたほうが、交渉ごとがスムーズに進むのは言うまでもないだろう。

ほめツボ17　相手の欠点を指摘するときは、ほめ言葉を最後に

相手の欠点を指摘するときは、欠点を指摘したうえで、最後をほめ言葉で締めくくるのが得策。そうすると、人間関係悪化のリスクを減らすことができる。逆に、ほめたあと、最後に欠点を指摘すると、相手の記憶には不快感が残る。人は、最後の印象に縛られやすいので、最後に不快に思うと、ほめられたという記憶がぼやけてしまうのだ。

ほめツボ18　本人のいないところでこそ、ほめる

いわゆる「陰ぼめ」は、直接本人にではなく、第三者に対してほめること。やがて、「○○さんが、あなたのことをほめていたよ」と、まわりまわって本人の耳に届くと、面と向かってお世辞を言われたわけではないので、相手はその言葉にはウソがないと思う。すると、直接ほめられたとき以上に、うれしく

感じ、それがほめてくれた人への好感につながるというわけだ。

とりわけ、この方法は、まだあまり親しくない人に対して使うと有効。面と向かってほめると、何か下心があるのではと勘繰られかねないが、陰ぼめしておくと、第三者を通して聞く言葉には警戒心が消えるので、ほめ言葉がすんなり相手の耳に届くことになる。

ほめツボ19　大勢の中の一人だけをほめてはいけない

大勢のなかから、一人だけほめるのはタブー。一人の味方を得られるかもしれないが、大勢の敵をつくることになってしまう。

一人だけをほめると、ほめられた人はうれしく思うだろうが、残りの大勢は「なぜ、あいつだけがほめられるんだ」と不満を抱く。そうした不満は、やがてほめた人と、ほめられた人への敵意に変わりかねない。場合によっては、一人だけをほめることによって、組織が空中分解することだってありうる。人をほめるときは、場所を選び、一対一でほめることだ。

ほめツボ 20

メールなら「P・S」を使って短くほめる

メールなど、会話以外のコミュニケーションでも、むろん相手を気分よくさせることができる。

たとえば、事務的なメールの最後に「P・S」としたうえで、短くほめ言葉を添えるといい。「P・S　先日の会議の仕切り、お見事でした!」、「P・S　いつもエネルギーをもらっています」という具合。

STEP4

「観察力」があれば、誰でもきちんとほめられる

1 どんなタイプの人も、ていねいにほめるのが鉄則

「人柄」をほめるときのチェックポイント①

協調性がありますね

組織で働く人に対して使うといい、ほめ言葉の一つ。大きな組織で働く人ほど、いかに協調性が必要な資質であるかを肌で感じているもの。

すがすがしい気分になりました

人柄を無難にほめる言葉の一つ。「すがすがしい」は、万人受けする形容詞であり、こう評されて悪い気がする人はない。あまりさわやかとはいえない人物であっても、「彼には、すがすがしいところがあるよ」と言えば、誰もハズレとは思わな

い。直接ほめるときは、「ご一緒させていただいて、すがすがしい気分になりました」など。

本当に聞き上手ですね

気持ちよくしゃべらせてもらったときの聞き手への賛辞。「聞き上手」と自認している人は、認めてもらえたことを誇らしく感じるし、そうでない人は意外な自分の一面を発見してもらったことに喜びを感じる。とくに、口下手な人をほめるときに有効で、ほかにほめ言葉が見つからないときにも使える。

意外な一面をお持ちなんですね

相手を「幅のある人物」と持ち上げたいときに便利なフレーズ。多くの人は、興味の幅の広い人物でありたい、あるいはそう思われたいと思っている。「意外な一面」は、そこを突く言葉。

本当に器が大きい人です

器量の大きな人への賛辞。「スケールの大きな人です」、「器量の大きな人です」

でもいいが、「スケール」というカタカナには、やや軽い響きがある。また「器量」は容姿をほめるときにも使うので、力強さ、スケール感を伝えたいときは「器」のほうが適している。「度量の大きい人です」と、言い換えてもいい。

裏表がない人ですから安心です

「裏表がない人です」だけでも賛辞になるが、真面目なだけというイメージで受け取る人もいる。そこに「安心」を加えることで、信頼のおける人物という印象を強調できる。

「人柄」をほめるときのチェックポイント②

人の痛みがわかる人ですね

思いやりのある人物をほめるときの、切り札ともいえる言葉。「思いやりのある人」でもいいのだが、「人の痛みがわかる」と言うと、人の辛い思い、苦しみを分かち合える人という印象がより強くなる。「人の痛みがわからない人」が最大の悪罵になる裏返しで、「人の痛みがわかる」は最高の賛辞となる。

辛抱強いですね

我慢強い人、忍耐力のある人への賛辞。「我慢強いですね」と言うと、ただ耐えるだけというニュアンスが強くなり、賛辞として物足りない。「辛抱」は目的に向かって耐える、耐えるだけでなく努力もするというニュアンスを含むので、賛辞として、よりふさわしい。

威厳がありますよね

上司の堂々とした態度をほめたいときに、使うといい言葉。「堂々としていいですね」、「恰幅がいいですね」、「押し出しがいいですね」でもいいが、これらの言葉は容姿をほめる意味合いが強く、人格をほめたことにならない。その点、「威厳がある」は、下の者が自然に頭を下げるくらいの人格を感じさせるというニュアンスが生じる。

ユーモアのセンスがありますね

面白いことをよく口にする人をほめるときに使える言葉。それ以外にも、単にニコニコしている人、楽しそうにしている人、ときどきボツリとひと言しゃべる人など、いろいろな人へのほめ言葉になる。自分ではユーモアがないと思っている人でも、こう言われると、自分には意外な資質があるように思うもの。

気が利きますね

細やかな気配り、気働きのできる人へのほめ言葉。このままでは軽いほめ言葉なので、「さすが、気が利きますね」、「そこまで気がつきませんでした。気が利きますね」などと、言葉を添えると、より効果的になる。より丁寧な言い方をすれば、「すばらしい気配りですね」、「深い配慮に感心します」など。

○○という点が、あなたの魅力だね

相手の人格、魅力をほめるとき、ある長所を際立たせる言い方。○○には、できるだけ具体的に魅力となるポイントを挙げるといい。たとえば、単に「言葉遣いがきれいですね」とほめるよりも、「言葉遣いのきれいな点が、あなたの魅力だね」としたほうが、ほめ効果は高くなる。「魅力だね」を「長所だね」、「いいところだね」に置き換えてもいい。

君の○○なところを尊敬している

相手の魅力をほめるとき、殺し文句に近いレベルのフレーズ。「君の○○なところが魅力だね」とほめるよりも、さらにほめ効果は高くなる。とくに目上から目下の人に使うと、その効果は最上級。

お客様を安心させるタイプですよ

営業畑で働く人をほめるときのフレーズ。とくに、口下手を自認している地味な人をほめるときに、便利かつ効果的な言葉。「地道に頑張っていますね」とほめるよりも、より具体的でインパクトがある。「お客様から信頼されるタイプですね」、「お客様が落ちついて話すことができるから、情報を集められるタイプだね」などでもＯＫ。

家族思いですね

あまりほめるところのない人をほめるときに重宝する言葉。家族の世話をしているという自覚がさほどない人でも、こうほめられると、自分のことを「思いやりのある人物」と評価されたように感じる。ただし、会社の同僚や友人相手に、乱発は避けたほうがいい。家族にかかりきりで、つきあいが悪いという意味合いに受け取られかねない。

見識のある方ですよ

第三者をほめるときの無難にして、かつ高度なほめ言葉。本当はさほどの人物ではなくても、こう言っておけば、当人の耳に入ったとき、喜ぶこと間違いなし。「知識のある方」、「経験のある方」でも悪くないが、「見識」のほうが、より深く広い知識・経験を持つ者という意味合いを込められる。

本当によくできた人です

苦労人や経験豊富な人をほめたいときにぴったりのフレーズ。「人間としての実力が高い」というニュアンスを含む、誰もが一度は言われてみたい言葉である。ただし、本人に直接「本当によくできた方でいらっしゃいますね」とは、なかなか言いだしにくい。その場にいない人をほめるときのほうが、自然と口にしやすく、しっくりくる。

奥ゆかしい方です

「奥行かし」は、奥にあるものに心ひかれるさまを表す古語。そこから「深みがある様子」→「慎み深い」という意味が生じた。「じつに奥ゆかしい人物で、出すぎた真似はされません」などと使う。

気品あふれる方です

「気品」は、上品さや気高さ。「物腰に気品があふれている人」、「万事に気品を感じさせる方」などのほか、「気品あふれる文章」など、人以外へのほめ言葉にも使うことができる。

紳士的な方ですよ

「紳士的」は、考え方や立ち居振る舞いが紳士らしく、立派であるさま。「いつも紳士的な態度には感心させられました」、「紳士的な振る舞いが板についていらっしゃる」などと用いる。

ざっくばらんな方ですよ

気さくな人をほめるフレーズ。「あまり気を遣わなくていい方」では、バカにしているようにも聞こえるが「ざっくばらん」なら、率直で気のいいというニュアンスを強調できる。人に紹介するときも、この言葉でほめれば相手を安心させられる。

人情味あふれる方ですよ

人柄が温かく、思いやりのある人をほめるときに使えるフレーズ。「〇〇さんは、人情味あふれる方で、多くの人に慕われていますよ」など。もしくは「〇〇町は人情味のある土地柄だそうですね」など、場所に対しても使うことができる。「人情の厚い」と言い換えてもＯＫ。

面倒見がいい方です

世話好きな人へのほめ言葉。ただし、「面倒見がいいですね」と本人に直接使うよりも、「面倒見がいい方で、いつもお世話になっています」のように、〝陰ぼめ〟用に使うことが多い。また、おせっかいな人や何かと小言の多い人を婉曲に形容したいときにも使えるフレーズ。

2 どんなタイプの人も、具体的にほめるのが鉄則

「頭のよさ」と「勘のよさ」にスポットをあてる

数字に強いですね

話によく数字をまじえる人をほめる言葉。世の中には、数字に強いことを自負し、そのことを認められたいと思ってる人がいるもの。ただ、「数字に詳しい」、「数字をよくご存じ」では、オタクっぽい印象になるので、「数字に強い」と形容して、「できる人」というイメージを含ませたい。

頭の回転が早いですね

単に「頭がいいですね」と言うと、おざなりなほめ言葉やお世辞に受け取られか

ねない。人によっては皮肉と受け取ることもあるだろう。どのように頭がいいのか具体的に言うことで、本心からの賛辞に聞こえやすくなる。その点、「頭の回転が早い」は、具体的で、使い勝手のいいフレーズ。「頭の回転が並みじゃないですね」でもいい。

発想が豊かですね

突然、思いもよらぬことや、想定外のことを言われたときに返すといいフレーズ。返答に困って一瞬黙ってしまったとしても、この言葉でつないでおけば、気まずい雰囲気にはならない。とくに、アイデアマンと自認する相手に、無難に使えるフレーズ。なお、「発想が奇抜ですね」と言うと、皮肉っぽく聞こえる。

緻密ですね

相手の目配りの行き届いた知恵者ぶりをほめるセリフ。「細かいですね」では非難しているようなニュアンスを含み、ほめ言葉にならないが、「緻密」なら頭のよさをほめていることになる。なお、「細やかな気配りですね」は、ほめ言葉。

勘がいいですね

「地頭のよさ」をほめているニュアンスを含められるほめ言葉。よりハイレベルにほめるなら、「すばらしい勘ですね」、「勘がじつに鋭いですね」など。なお、自他ともに頭がいいと認める人をほめるときには、「勘がいいですね」よりも、「洞察力がありますね」と言ったほうが喜ばれる。

機転がききますね

物事のツボを心得ている人へのほめ言葉。とくに、上司が部下をほめるときに使うと効果的。うまく気働きしてくれた人への感謝の言葉として使うとよい。「よく気が回るね」でもＯＫだが、「機転がきく」と言ったほうが、より相手の頭のよさをほめるニュアンスを込められる。

「知識」と「経験」にスポットをあてる

何でもご存じですね

知識の広さをほめられると、誰しも嬉しくなるもの。そのほめ言葉の基本型で、誰にでも使えるフレーズ。さらに「ずいぶんお詳しいですね」と感心するように言うと、より相手を喜ばせることができる。

まったく存じませんでした。驚きです

相手の意外な知識をほめるときに効くフレーズ。物知りな人が言うほど、ほめ言葉としてのインパクトは強まる。また、素直な感じで言うと、正直な人とも思ってもらえる。

よくご存じですね。感心させられます

相手が仕事や趣味に関して、うんちくを披露したときには、こう返すといい。知識が豊富であることを評価できる。ふだんあまり会話しない人に使うと、相手にもっと話させ、親密度を深めるきっかけにもなる。

話題が豊富ですね

さまざまなジャンルに精通し、いろいろな話を楽しく、わかりやすく語ってくれる人との会話は楽しいもの。そんな人に対して使うといいフレーズ。「あなたとの

会話は楽しい」と伝えるとともに、相手の知識の豊富さを評価できる。「たくさんの引き出しをお持ちですね」でもOK。

さすが早耳ですね

社内の人事情報などをめぐって、「情報通」を気取る人がいる。そんな人から「じつはあの人ね……」などと噂話を聞かされたときに、使うといいフレーズ。たとえ興味のない話題でも、相手が情報通であることをほめておけば、とりあえず相手を喜ばせられる。後々、自分にとって、役立つ情報を教えてくれる可能性が高まる。

すばらしいご経験をお持ちですね

「珍しい土地へ行った」、「何かの国際大会に出た」など、人とは違った経験を持つ相手に使うといいフレーズ。単に「珍しい経験」ではなく、「すばらしい」と言うことで、その経験が相手の財産になっていると、評価できる。「だから○○さんは……なんですね」などと、具体的に役立っている部分を指摘すれば、さらに説得力が増す。

やっぱり経験が違いますね

自分が手こずっている仕事を、上司や先輩が手早く片づけてくれたときに使うといいフレーズ。感謝の気持ちを伝えるとともに、場数を踏んでいる相手への敬意を表せる。そのうえで、「感服しました」など、相手を立てる言葉を添えるといい。

読書家ですね

博識な人をほめるとき、単に「よくご存じですね」とほめても、相手の努力を評価したことにはならない。その点、「読書家」と言えば、日々、本を読み、考え、研究していることを尊敬するというニュアンスを込められる。

知らなかったよ、すごいね

「趣味の分野で賞を獲ったことがある」、「スポーツでインターハイに出たことがある」など、相手の意外な一面を知ったときに使うといいフレーズ。「驚いた」、「見直した」という気持ちを素直に伝えることで、相手の自尊心を満足させられる。ただし「見直した」という言葉を添えると、これまでは「見下していた」という意味になるのでNG。

自他ともに許す第一人者ですね

「自他ともに許す」は、自分も他人も認めているという意。ほめ言葉としては「さすがは、自他ともに許す第一人者ですね」、「自他ともに許す実力者」などと使う。「自他ともに認める」とも言う。

すごいねえ。そんな人と会えたんだ

有名人に会った経験を、誇りにしている人は少なくない。「こんな人に会った」と得意気に言われたときは、こう応じておけばいい。ただ「ふーん、よかったね」ではなく「すごいねえ」と、うらやましげに言うことで、相手の自尊心をくすぐれる。「どんな人だった」などと続けて聞けば、相手をより喜ばせられる。

「眼力」にスポットをあてる

さすが、お目が高い

相手の眼力の鋭さ、確かさをほめるときの定番フレーズ。「見る目がありますね」

でもいいが、「お目が高い」はさらに上級のほめ言葉であり、「さすが」と最初に言うことで、言葉に勢いが生まれる。

目の利く方は、選ぶものが違いますね

相手の持ち物をほめることは、相手の眼力をほめることにつながる。これは、その典型的なひと言で、相手は持ち物とともに眼力までほめられたことを、二重にうれしく思う。ふだんから、自分を目利きと見てもらっていたこともわかるから、三重にうれしいとも言える。

目のつけどころが違いますね

相手の着眼力をほめ、相手に「わかっているな、こいつ」と思わせるひと言。「すごいですね」、「なるほど」でもいいが、やや軽い言葉なので、相手は、本当に自分の着眼力に気づいているのか、疑問に感じる場合もある。そこで「目のつけどころ」と具体的に言うと、言葉に説得力を加えられる。「見ているところが違いますね」は、このバリエーション。

さすが、いい線をついていますね

ぴったり的中ではないものの、近いところまで当たっているとき、その眼力をほめる言葉。「ちょっと違うね」と言うと角が立つが、「いい線をついている」と肯定的に表すと、相手の自尊心をくすぐれる。

「行動力」と「バイタリティ」にスポットをあてる

本当に行動力がありますね

日本では、行動力は過少評価されがちで、ほめ言葉の対象になりにくい。そのため、行動力にすぐれる人は、評価の対象になりにくいことを物足りなく思いがち。そこを率直に評価すれば、こちらの想像以上に喜んでもらえる。

じつにアクティブですね

行動力、フットワークの軽い人をほめるフレーズ。「アクティブ」には活発な、活動的なという意味があり、「行動力」よりもややカジュアルに聞こえる。その分、構えたところがなく、気軽に使うことができる。

いつもフットワークが軽いね

行動力のある人、腰の軽い人、動きのいい人を軽くほめるときに、使える言葉。「腰が軽いね」と言っては、お調子者扱いしているイメージがあるし、「行動力」と言うのは大げさと感じるときに、便利な言葉。「フットワークがいいね」、「君のフットワークには感心するよ」でもいい。

エネルギッシュですね

活力に溢れ、精力的に仕事や遊びをこなしている人への賛辞。「活力が溢れていますね」では、やや表現がかたいし、「精力的ですね」だと脂ぎったイメージが生じてしまう。その点、「エネルギッシュ」は好感をもって受けとめられやすい。

いつもパワフルですね

力強く行動している人、その行動力によって課題をこなしている人をほめるフレーズ。「パワフル」というカタカナ語を使うことで、力強さを評価していることをスマートに伝えられる。

タフですね

精神的にも肉体的にも強く、それが行動力に表れている人への賛辞。単に「体力がありますね」では、あまりほめたことにはならない。「精神力がありますね」でも不十分。体力・精神力ともに並ではないことを言うのに、「タフ」は便利な言葉。「君のタフネスぶりには感心するよ」、「タフな働きっぷりですね」などと言えばいい。

前向きなところ、見習わなければと思っています

まずは積極的に動こうと考えるポジティブな人へのほめ言葉。「前向き」という言葉のミソは、たとえ、相手が失敗していても、ポジティブな姿勢をとり続けていることを評価できる点。

アグレッシブな姿勢には感心させられます

つねに攻めの姿勢を忘れない行動的な人を評価する言葉。「攻撃的な姿勢」というと、暴力的のように聞こえるが、カタカナにすれば、そのようなネガティブなニ

ユアンスは消える。ただ、「アグレッシブだね」だけではインパクトが弱いので、「感心させられます」と、高く評価していることを伝える言葉を補うとよい。

相手の「努力」にスポットをあてる

コツコツ頑張っていますね

真面目に努力している人をほめるフレーズ。単に「頑張っていますね」だと、ねぎらう程度の言葉だが、それに「コツコツ」とひと言添えるだけで、立派なほめ言葉になる。ふだんの努力を見守り、評価していることを「コツコツ」のひと言に込められ、相手を温かいまなざしで見ていることを表せる。

研究熱心ですね

相手の勉強ぶりを讃えられるフレーズ。「よく勉強していますね」、「勉強熱心ですね」でもＯＫだが、「研究」を使うと、ほめ言葉としてのレベルがさらに高くなる。「勉強」よりも「研究」のほうが自主性が高く、取り組み方に深さがあるというニュアンスが生じるため。「よく研究されていますね」でもいい。

いつも一生懸命だね

相手の努力をほめるときは、「一生懸命だね」、「一生懸命頑張っているね」が決まり文句だが、これはその上級編。「いつも」と、ひと言添えるだけで、ほめ言葉としてのインパクトはより大きくなる。「いつも」には、人が見ていようといなかろうと、どこでもというニュアンスがある。それだけ、相手の努力を高く評価していることを伝えられる。

マメですね

相手のちょっとした骨折りや努力ぶりをほめたいときに使えるほめ言葉。ただ、乱発は禁物で、細かすぎる人に対しては、皮肉っぽく聞こえる場合もある。

私どもには、真似ができません

日頃の心がけが立派だと思う人のほめ言葉。たとえば、出会った人にすべて礼状を書く営業マン、毎朝いちばんに出社する人など、長年〝努力〟し続けている人に似合うほめ言葉。「真似しようとしても、到底できることではありません」、「誰も真似できませんよ」などと、バリエーションをつけて使える。

そのひたむきさには、感心させられるよ

努力ぶりを表す最上級の形容詞は「ひたむき」。「ひたむき」には、一途、一心不乱、純粋といったイメージがあり、美しさも含んでいる。高校野球に関する記事の定番フレーズとして使われるくらい、その威力は大きい。これに「感心させられるよ」と添えれば、ほめ言葉として最上級になる。

わかっていても、なかなかできないことですよ

地道に努力している人、きちんと日常業務をこなしている人へのほめ言葉。「よくやっているね」、「いつもちゃんとしているね」でもいいが、「わかっていても、なかなかできない」と言うと、より賛辞としてのレベルが高くなる。小遣い帳をつけているなど、他愛ないことでも、ほめることができる。

頭が下がる思いです

相手の努力をほめるフレーズ。親しい間柄なら「よく頑張ったね」と言えばいいが、

目上やあまり知らない相手には「頭が下がる思いです」を使いたい。相手の努力への敬意や感心、さらに「私にはとても真似ができない」という思いを伝えられる。

長年の努力の賜物ですね

「努力の賜物」は、努力の結果として現れたよい結果。大きな仕事を成し遂げた人に対して「長年の努力の賜物ですね」というのが、ほめ言葉としての定番の使い方。「研鑽の賜物」も同様に使える。また、「ご尽力の賜物」や「ご支援の賜物」は周囲への感謝を表す際に使える定番句。

相手の「勢い」にスポットをあてる

バイタリティあふれるご活躍ですね

「バイタリティあふれる」は、活力がみなぎっているさま。「バイタリティあふれるご活躍、仄聞しています」、「バイタリティあふれる取り組み、敬服しています」などと使うことができる。

すばらしい勢いですね

いま、ノッている人をほめたいときのフレーズ。単に「勢いがありますね」、「ノッてますね」でもいいが、どこかしら傍観者のセリフのようで、印象が弱い。「すばらしい勢い」、「圧倒されそうな勢い」、「すごい勢い」と強めの言葉を使ったほうが、ほめ言葉として、より効果が高くなる。

威勢がいいねえ

勢いのある人、ノッている人を、少しくだけた感じでほめたいときに便利な言葉。「勢い」に比べ、「威勢」には、江戸っ子風のいなせなイメージがある。このような言葉は、「威勢がいいですね」と丁寧に言うよりも、「威勢がいいねえ」と親しげでリズム感のある言葉として使ったほうがベター。

大変なご活躍ですね

最近、勢いがあり、いい結果を出している人をほめるときに便利なフレーズ。「活躍」は、結果を出しているニュアンスを含むが、単に「活躍」とするよりも、「大変な」、「すごい」といった言葉を添えておくといい。個人をほめるときだけでなく、相手の会社や部署をほめるときにも使える。

絶好調ですね

相手の好調ぶりをほめるとき、単に「好調ですね」では、ややインパクトが弱い。そこまでの勢いがない場合でも、ほめ言葉では「絶好調」を使って、「いやあ、絶好調ですね」、「勢いが止まりませんね。絶好調ですね」などと持ち上げるとよい。たとえば、年末の挨拶で相手の業績をほめたいときには、「今年は絶好調でしたね」が適したフレーズ。

そうだ。その調子でどんどんいこう

ノッている人をさらにノセて、活躍させたいときに使うといいフレーズ。ほめられ、おだてられると、人はますますその気になりやすい。その意味で、上司が部下の能力を引き出すために、覚えておくといい言葉といえる。それほどではないと思っても、この言葉をかけると、部下は「そうなのかな」と思って頑張るようになるもの。

いつもハツラツとしていて、お元気そうですね

声が大きい、動作が機敏など、いつも元気そうな人へのほめ言葉。老若男女問わず、使えるフレーズ。元気そうに見える人は、傍目《はため》には「地」のように見えても、じつは場の雰囲気をよくするため、意識的にそう振る舞っていることも多い。その〝努力〟を評価されるのはうれしいもの。一度と言わず、ときおり使いたい。

「人望があること」にスポットをあてる

人脈が広そうですね

人脈の広さは、仕事ができる人の条件の一つ。「人脈が広そう」と言うことで、相手を「仕事ができる」とほめていることになる。このほめ言葉をきっかけにして、相手が人脈自慢をはじめたら、役立つ人を紹介してもらいやすくなるというメリットもある。

人気者でしょう

人当たりのいい人に対し、老若男女、ビジネス、プライベートを問わず、使える

フレーズ。「人気者」＝「誰からも好かれる人」ということで、相手の人格を全面肯定できる。ただし「子供から人気があるでしょう」、「男性からは人気者でしょう」などと限定すると、「子供以外には人気がない」、「女性からは、さほどでもない」と言っているように聞こえるので、対象を特定して言うのはＮＧ。

人が集まる人ですよね

友人、知人が多い人へのほめ言葉。「友人が多いのは、すばらしいことですね」などと数の多さだけをほめるよりも、相手の心に届く言い方。単に数の多さをほめるだけではなく、「多いのには、それだけの理由がある」ことを示唆できる。

駆け込み寺みたいですね

職場の悩みや愚痴の捌《は》け口になりやすい人に使うといいフレーズ。業績にはさほど関係していなくても、その人がいることで職場がスムーズに動く。そんな隠れた役割を評価することで、相手は自分の役回りを「損」とは思わず、「頼られている」ことを誇りに感じるようになる。

情報が集まる人ですよね

相手から情報を引き出したいときに、使うといいフレーズ。「情報が集まる人」と持ち上げて自尊心をくすぐれば、相手は気持ちが緩み、情報を聞き出しやすくなる。具体的に「とくに○○についての情報にかけては天下一品ですよね」と持ち上げれば、焦点をより絞って必要な情報をゲットしやすくなる。

○○さんの人徳だと思います

相手が、友達の多さを感じさせるセリフを口にしたときにはこう返すといい。友達が多いのは、相手にそれだけの魅力があるからという、こちらの敬意を伝えられる。「○○さんのお人柄ですね」、「みんな○○さんの魅力がわかるんですね」でもＯＫ。

3 どんな話題でも、相手にあわせてほめるのがコツ

「趣味」を話題にするなら覚えておきたいこと

すばらしいご趣味をおもちですね

教養や手先の器用さを必要とする趣味をもつ人には、このフレーズを使うといい。「俳句がお好きなんですか。すばらしいご趣味をおもちですね」、「これほどおいしいパンをご自分で焼かれるとは、すばらしいご趣味ですね。ご家族にも喜ばれるでしょう」などと使う。とくに難易度が高い趣味をもつ人に喜ばれるフレーズ。一方、競馬やパチンコなどのギャンブル、ゴルフやカラオケなどのよくあることを趣味にしている人に対して使うと、嫌味にも聞こえるので要注意。

楽しそうなご趣味ですね

スポーツや音楽といった楽しそうな趣味をもつ人にかける言葉。「バンドを組んでいらっしゃるとは、楽しそうなご趣味ですね」などと言う。マニアックな趣味をもつ人にも同様に使える。「鉄道模型がお好きとは。楽しそうなご趣味ですね」など。

玄人顔負けの腕前ですね

何かの趣味でプロ級の腕前をもつ人には、この言葉を使うといい。「きれいなお菓子ですね。これほどのものが作れるとは、玄人顔負けの腕前ですね」、「玄人顔負けですね。（ボウリングなどで）このスコアは出せないですよ」などとほめる。ポイントは、スポーツ選手のような、その道のプロがいる趣味に使うこと。プロがいないマニアックな趣味に対して使うのは、とんちんかん。

素人目にもすばらしい作品だと思います

写真や絵、書道や生け花など、趣味の作品展に招待されたときには、こんな言葉を添えたい。「じつに美しいですね。素人目にもすばらしい作品だと思います」などと、自分がその道の素人であることを強調するのがポイント。一歩下がった目線から讃えると、ほめ言葉がお世辞に聞こえにくくなる。

この才能を活かさない手はないですよ

人の役に立ったり、商売に結びつくような趣味をもつ人にかけるフレーズ。たとえば、インストラクターになれそうなほど、パソコンやインターネットに詳しい人や、料理が上手で、いつもおいしい食事を作ってくれる人などに対して、「この才能を活かさない手はないですよ」などとほめるとよい。

じつに多才ですね

複数の趣味をもつ人、とりわけ傾向の違う複数の趣味をもつ人を持ち上げるフレーズ。たとえば、ゴルフと俳句を趣味とする人、カラオケも料理も上手な人などに対して使うと、しっくりくる。「料理もお得意とは！　じつに多才ですね。毎度のことながら驚かされます」のように。

何をやっても、お上手ですね

どんな趣味でもひととおりこなす、器用な人へのほめ言葉。「達筆なうえに絵も描けるとは、何をやってもお上手ですね」、「さすが器用でいらっしゃる。何でもお上手ですね」などと言う。一つのことだけにじっくりと取り組むタイプではなく、多趣味な人に対して使いたい。

スポーツ万能って感じですね

スポーツ系の趣味をもつ人には、こんな言葉を使いたい。「スキーもスノボも、お上手なんですね。○○さんはスポーツ万能って感じですものね」、「さすが、何でもこなされますね。スポーツ万能ですね」などと使う。細マッチョなど、見るからに体を鍛えている人に使うと、ぴったりくる言葉。

「ペット」の話題なら外せないフレーズとは？

飼い主がよくわかっているんですね

ペットを我が子のようにかわいがっている人には、この言葉をかけるといい。「さきほどから見ていると、○○さんの声だけに反応していますね。飼い主がよくわかっているんですね」などと言えば、喜んでもらえるはず。飼い主とペットではなく、実の親子関係のようであることを強調するところがポイント。

あらためて見ると、けっこうかわいいんだね

ヘビやトカゲのような個性的なペットを飼っている人には、何と声をかけてよいか迷うもの。そんなときは「ヘビを飼っているなんて、珍しいですね。あらためて見ると、けっこうかわいいですね」などと使うとよい。「今までその魅力に気がつかなかった」というニュアンスを含ませるのがポイント。

まるで人間みたいですよね

犬や猫などをかわいがっている飼い主にかける言葉。「かわいいですね。こちらの言うこともよくわかっているし、まるで人間みたいですね」などと使うといい。とくにペットに洋服を着せるなど、人と同じように接している飼い主には効果的。

耳がぴんとしていて元気そう

犬、猫、ウサギを飼っている人にかけたい、ほめ言葉。「かわいいですね。耳がぴんとしていて元気そう」、「毛がつやつやで、耳もぴんと立っていて、健康そうで

すね」など。「ペットがかわいい」という意味だけでなく、「飼い主の手入れがいい」という意味を含ませることができる。

人懐っこい猫ちゃんですね

猫といえば、気ままな動物の代名詞。そんな猫が、ペットとしてよく人に懐いていたら、その点をほめ言葉として利用したい。「人懐っこい猫ちゃんで、かわいいですね」、「これだけ人懐っこい猫ちゃんは、珍しいですね。大切にしていらっしゃるんですね」などと言えば、飼い主の頬がいっそうゆるむはず。

「車」の話題なら、こんなふうに言えばいい

乗り心地抜群ですね

人の車に乗せてもらったときに、まずかける言葉。「乗り心地抜群ですね。最近の車は違いますね」、「乗り心地がいいですね。疲れずに、遠くまでドライブできますね」などと使う。車の性能をほめるだけでなく、「あなたの運転が上手なので乗り心地がいい」という意味も込められるフレーズ。

いいクルマですね。最近出たものですよね？

相手が新車に乗ってきたときは、こんな言葉をかけるといい。「いいクルマですね。これ、最近出たものですよね？　テレビで見ました」、「最近出たばかりのクルマですね。いい色ですね。乗り心地はどうですか？」などと使う。少し羨ましがってみせると、より車好きの人を喜ばせられる。

私もこのクルマ、ほしいと思っていたんですよ

相手の愛車がテレビのＣＭなどで見かける人気車種だったら、すかさずこう声をかけるとよい。「私もこのクルマ、ほしいと思っていたんですよ。今、大人気ですね」、「私も欲しいと思っているんですが、家内がＯＫしてくれないんですよ」など。

「カラオケ」でほめるときの目のつけどころ

○○さんのあとは、もう歌えないな

歌が上手な人にかけるほめ言葉。歌い終わったあとに「本当にお上手ですね。○

○さんのあとは、もう歌えないな」、「これだけお上手だと、そのあと歌いにくいですよ」などと使う。歌自慢の人だけでなく、以前よりも上手くなった人に対しても使える言葉。

いい声ですねえ

はっきり言って、歌が下手な人には、このフレーズを使うといい。多少調子っぱずれでも、声の質をほめているのだから、嘘をついていることにはならない。「いい声ですねえ。この歌にぴったりです」などと使うとよい。また、歌が上手な場合は、朗々とバラードを歌い上げた人や、声に自信がありそうな人に使うと喜ばれる。

すばらしい声量ですね

とにかく声が大きな人に使えるほめ言葉。歌が上手な人はもちろん、調子はずれの人にも使いやすい便利な言葉。「すばらしい声量ですね。よく声が通るので、マイクがいらないほどですね」、「すばらしい声量ですね。本格的な発声ですね」などと使える。

レパートリーが広いですね。いまどきの曲まで歌いこなせるなんて

年配の人が歌ったときに使えるほめ言葉。「幅広く歌をご存じで、物知りですね」という意味に加えて、「いまどきの曲までご存じとは、気持ちがお若いですね」というニュアンスを込められる。なお、この言葉は、自分よりもかなり年上の人に使うフレーズ。少しだけ年上の人には、かえって失礼になる。

プロ顔負けですね

ある程度、歌がうまい人へのほめ言葉。歌い方がこなれている、歌手に声が似ているなど、何かしらプロに通じるうまさがあった場合、「プロ顔負けのうまさですね」、「プロ顔負けの魅力の低音ですね」などとほめるとよい。ただし、「プロ」という言葉を使うからには、下手な人には使えない。見えすいたお世辞と思われてしまう。

胸にじーんときました

感動的な曲を歌った人にかけるほめ言葉。泣ける曲やムードのあるバラードを歌った人に対して、「お上手ですね。胸にじーんときました」、「胸にじーんときます。この歌、大好きなので」などと使う。

歌いこんでいらっしゃいますね

十八番を歌い終わった人にかけると、ぴったりくるフレーズ。いつも同じ歌を歌う人に対して「歌詞が頭に入っているなんて、すごいなぁ。さすが、歌いこんでいらっしゃいますね」などと言うといい。よどみなく、慣れた様子で歌う人に対して使いたい。

「字」のうまい人が一番喜ぶフレーズは？

○○さんって、字がきれいですね

最近は、書類作成や手紙もパソコンを使うケースが多く、手書きの文字を見る機会は、めっきり少なくなった。同僚などに字がきれいな人を見つけたら、すかさずその点をほめたい。「字は人なり」と言うように、字をほめることは、その人の人格もほめることにつながる。とくに「○○さんって」と名前付きで言えば、その印象が強くなる。

「達筆」ですねえ

「達筆」は、文字を書くのが上手であること、またはその文字。「見事なほどの達筆ですね」などと使う。「能筆」や「能書」も同じ意味。また、「健筆」は、文字ではなく、文章が上手なことで「健筆をふるう」などと使う。

みごとな筆さばきですね

年賀状や冠婚葬祭の芳名帳などに、毛筆でさらさらと美しい字を書く人に使いたいフレーズ。そのさい「字がお上手ですね」とほめるのは、やや子供っぽい印象。とりわけ相手が目上のときには、「上手」という言葉が僭越に響く。少なくとも「達筆ですね」くらいの〝大人語〟を使いたい。

STEP5

「仕事」の人間関係は、この〝ほめツボ〟をおさえよ

1 仕事の人間関係をまるくする声のかけ方

仕事の結果を左右する「言葉がけ」の法則

ウケていましたよ

笑いをとろうとした人への社交辞令。たとえば、先輩が宴会で隠し芸を披露したときやカラオケで振り真似付きで歌ったときなどは、こう声をかけるとよい。そういう人は、自分がスベらなかったか、気にしているもの。「大ウケでしたよ」と声をかければ、おおいに喜んでくれるはず。

いちばん光っていましたよ

大勢の中で目立っていた人をほめるとき、「いちばん目立っていましたよ」と言うと〝悪目立ち〟していたようにも聞こえる。そんなとき、この「光る」という形容詞を使うと、最高、最上であったことをカジュアルにほめられる。

息が合ってますね

二人以上の人が協力して仕事を進めているときには、こう声をかけるとよい。順調に仕事を進めている人たちへのほめ言葉になる。とくに、ふだん仲がいいとはいえない人たちが一緒に仕事をしているときに、こう声をかけると、人間関係を改善させる効果があるかもしれない。

気持ちのいい挨拶ですね

「おはようございます！」のように、元気よく挨拶する人への言葉。次いで、「元気さが伝わってきますよ」、「こちらまで元気が出てきますよ」などと続けると、相手は、さらに元気な言葉を返してくれるはず。

今日も元気ですね

ときおり顔を合わせる若手社員など、自分より年下で、溌剌としていて健康そうな人には、こう声をかけるとよい。目上に対しては、「今日もお元気ですね」と「お」をつけることを忘れずに。「元気」や「健康」は、ほかに〝ほめポイント〟が見つからない時に便利に使える言葉。

いつも朗らかですね

「朗らか」は、明るく、快活なさま。相手の快活で愉快な人柄をポジティブに表現できる。「じつに朗らかな方で、こちらまで明るい気持ちにさせられます」など。

朝もお強いんですね

朝早くから出社し、精力的に働いている上司や先輩に使うといいフレーズ。「朝は苦手」という人が多い分、朝に強い人はそこをほめられると誇らしく思うもの。ただし「朝に強い」や「朝は強い」と言うと、「昼間や夜は、いま一つ」という意味に取られかねないので「助詞」には注意のほど。

キビキビしていますね

個人に限らず、会社や部署全体に対して使えるほめ言葉。動作がキビキビしているのは、仕事への意欲の高さの現れといえる。たとえば「この課の人たちは、皆さんキビキビしていらっしゃいますね」と言えば、課を統括している課長の力量をほめることにもなる。

相手のタイプによって、ほめ方を変えよう

○○さんがいると、場が和みますね

自他ともに「ムードメーカー」と認めるような人への社交辞令。相手の場を盛り上げる力、人当たりのよさなどをひと言で持ち上げられる。「○○さんがいると、空気が変わりますね」、「○○さんがいないと、いっこうに盛り上がらないんですよ」なども、同様に使える言葉。

度胸がありますね

成果は出ていなくても、積極的に仕事に取り組んでいる人に使いたいフレーズ。「部長にあそこまで食い下がるなんて、度胸がありますね」、「この不況下に、あんな強気な企画を出すなんて、君は度胸があるなあ」など。

肝が据わっていますね

トラブルがあってもふだんと変わらない人、えらい人の前でも物おじせずに話せる人など、度胸があって堂々としている人へのほめ言葉。同様に使えるフレーズに、「落ちついてらっしゃいますね」、「泰然自若としていますね」などがある。

決断力を見習いたいと思います

ビジネスでは、役職が高くなるほど、素早い判断が求められる。先輩などが迅速で的確な判断を下す場面に出会ったら、すかさず言いたいひと言。「私も課長の決断力を見習いたいと思います」などと言えば、課長を優秀なビジネスマンとして尊敬していることをアピールできる。

○○さんは不言実行タイプですから

口下手な先輩や同僚らに関して使うといいフレーズ。「うちの先輩は不言実行タイプですから」と言えば、地味な先輩を立てることができる。後々、それを耳にした先輩は、「わかってくれているな」と感じ、うれしく思うはず。

新しい“生き方”の発見、“自分”の発見！

B6判並製ほか話題の書

[A5判並製]
1分で相手を引き寄せる雑談のきっかけ1000
どんな状況でも、相手を引き寄せるネタが1分で見つかる決定版！
2000円

[B6判並製]
日本史の「なぜ？」を解く200の裏事情
事件の〝裏のつながり〟から歴史の流れがクッキリ見える！
歴史の謎研究会【編】
1000円

[B6判並製]
お客に言えない食べ物の裏話大全
産地、流通、外食店…〈食卓〉にまつわるあらゆる噂と疑問に迫る！
㊙情報取材班【編】
1000円

[B6判並製]
ここが一番おもしろい！三国志 謎の収集
ゼロからわかる通史や読み解きたくなる謎を網羅した「三国志の謎」決定版。
島崎 晋
1200円

[B6判並製]
他人に聞けないお金の常識大全
お金の常識が変わりゆく時代で賢く生きる！ビジネスヒントマニュアル
マネー・リサーチ・クラブ【編】
1000円

[B6判並製]
ズバぬけた思考回路に覚醒する京大・東田式天才パズル
解けば解くほど挑戦したくなるパズルを多数収録！
東田大志＆京大東田式パズル教室
1200円

[B6判並製]
オイシい場面（ところ）がつながるつまみ食い世界史
事件、人物、経済、文化…読むだけで、世界史の流れもポイントも面白いほど頭に入る
歴史の謎研究会【編】
1000円

[B6判並製]
立ち入り禁止の裏ネタ・隠しネタ大全
あの業界、あの会社、あの集団…世の中の裏事情を明かした決定版！
ライフ・リサーチ・プロジェクト【編】
1000円

[B6判並製]
ウソつきないきもの図鑑
生き残るために工夫した生き物たちの驚きのウソをイラストとともに紹介
實吉達郎【監修】
来栖美憂【著】
1020円

[B6判変型]
ひとりでも生きられる いのちを愛にかけようとするとき
愛の本質を解いた名著が新装版で待望の復刊！
瀬戸内寂聴
1320円

[B6判並製]
子どもにウケる！不思議が解ける！科学のネタ大全
宇宙、気象、人体…理系の〝目〟を通して世の中が楽しめるようになる！
話題の達人倶楽部【編】
1000円

[B6判変型]
老いは迎え討て この世を面白く生きる条件
「幸せに老いる」ための心の在り方を説いた名著、新装復刊
田中澄江
1380円

[B6判並製]
フシギな謎と新発見！読んで旅する秘密の地図帳
お出かけ気分で世界と日本の各地を満喫できる地理雑学が満載！
知的生活追跡班【編】
1000円

[B6判並製]
頭の〝瞬発力〟がアップする0（ゼロ）秒クイズ
直感力、判断力、アイデア力を磨けるクイズ集！
おもしろ地理学会【編】
1000円

[B6判並製]
小学生なら1秒で答える！大人を悩ますクイズ
巣ごもり〝脳トレ〟で凝り固まった大人の思考をほぐす！
知的生活追跡班【編】
1000円

宇宙と生命 最前線の「すごい！」話
荒舩良孝
1300円

COMMUNICATIONS

あなたの人柄に助けられています

気配り上手や温厚な性格の人がいると、職場の雰囲気は和らぐもの。面倒な仕事をさりげなく手伝ってくれたり、急な頼みをいやな顔をせずに引き受けてくれたりするのも、このタイプ。そういう人の世話になったときには、人柄を讃える言葉を述べ、感謝の気持ちを示したい。この言葉のあと、「いつも甘えてばかりですいません」と続ければよい。

○○さんには、何でも話したくなるんですよね

異性・同性を問わず、より親しくなりたい人に使うといいフレーズ。相談ごとや愚痴めいた話をしたあとなどに使うといい。「あなたに心を開いてます」という意味になるので、相手もこちらに親近感や好意を抱きやすくなる。

一緒に仕事ができてうれしい

気持ちよく仕事ができそうな同輩・後輩とチームを組むことになったときに使うといいフレーズ。信頼と好意を伝えられた後輩らは、期待に応えようと励むもの。

先輩相手に使う場合は、「うれしい」では子供っぽく聞こえるので、「ご一緒できて光栄です」とするのがベター。

○○さんがいると元気が出ます

いつもニコニコしていて、その人がいると職場が明るくなる――そんな人がいる職場は雰囲気がよく、結果も出しているもの。たとえ、その人自身の成績はいま一つでも、職場への貢献度は高いといえる。そんなムードメーカーには、ときにはこんな言葉をかけて、その貴重な存在ぶりをほめたい。

「スキルの高さ」は、真正面からほめる

段取りが完璧ですね

「段取り上手」というのは、言い換えれば、仕事の先を見通せる力があるということ。今後、何が必要になるか、どういう展開になるかを見通せてこそ、しっかり段取りが組める。たとえば、今後、どんな事務用品が必要か考え、用意できる女子社員は、地味だけど欠かせない人といえる。そんな人こそ、「段取り上手ですね。○

○さんと一緒だと仕事がはかどります」とほめたい。

手際がいいですね

「手際がいい」は、使用頻度が低い分、単に「仕事ができるね」と言われるよりも、新鮮で心に響きやすい。部下や後輩がてきぱきと仕事をすませたときに、こうほめれば、モチベーションをより高められるにちがいない。

さすがの敏腕ですね

やり手の人をほめるのにふさわしいフレーズ。敏腕は、事を素早く適切に処理する能力をもつこと。このような、口語ではあまり使わない言葉をあえて口にすると、ほめられ慣れている人にも、新鮮に感じさせることができる。

仕事が丁寧ですね

部下や後輩、取引先の担当者などのやる気を引き出すほめ言葉。仕事は、早くて丁寧なのがいちばんだが、そのどちらが重要かといえば、やはり丁寧さの方だろう。だからこそ、上司や先輩から「仕事が丁寧だね」と言われると、後輩などはうれしく思うもの。期待を裏切れないという気持ちが、部下や後輩の成長につながっていく。

危なげない仕事ぶり、敬服いたします

「危なげない」は、危ういところがなく、安心して見ていられるさま。相手の安定感のある腕前へのほめ言葉として使うことができる。「いつものことながら、危なげない仕事ぶり、敬服いたします」、「危なげない手際、安心して見ていられます」のように。

仕事が早いですね

「仕事が早い」というフレーズには、二つ意味がある。一つは「短時間で終える」という意味で、もう一つは「取りかかるのが早い」という意味。スピード社会では後者も重要なことだが、案外見落とされがちなので、仕事にすぐに取りかかった部下や後輩に対してこう言えば、「君の仕事ぶり、見ているよ」という気持ちも伝えることができる。

仕事に抜かりがないね

これも、部下や後輩をやる気にさせるほめ言葉。「抜かりがない」は、過不足なく気配り目配りができていること。こう言われると、能力全体をほめられたようでうれしく思うもの。ただし、上司や先輩に「抜かりがないですね」と言うと、生意気と思われるし、「ずる賢い」というニュアンスが含まれるので注意が必要。

ほんとに頼りになります

「ありがとう」の後に添えたいほめ言葉。お世話になった人へのお礼が、「ありがとう」だけでは物足りないように思うとき、こう続けると、感謝の気持ちとともに、相手への信頼感を表せる。とくに、上司が部下に言うと、心にしみるほめ言葉となる。

○○さんが手伝ってくれれば、千人力ですよ

これから協力をお願いしたい人やプロジェクトのスタート時に言うと効果的なフレーズ。「千人力」は、一人で千人分の力があるという意味で、最大級のほめ言葉。信頼する相手に対し、一対一の場面でこう声をかけたい。他の人に聞かれると、

「じゃあ、おれはその他大勢か」と思われかねないので。

○○さんでもっているんですよ

相手が本当に活躍している、していないにかかわらず、使えるフレーズ。組織にいる以上、誰しもそれなりに働いている。補助的な仕事をしている人でも、「あなたがいるから、職場がうまく機能している」と言われれば、悪い気はしない。ただし、目上に対して言うと、生意気に聞こえるのでNG。

なくてはならない存在ですね

派手な成績は上げられないポジションで、裏方として働いている人に使うといいフレーズ。第一線で働く営業マンより、営業補助をしている人や、経理や総務、人事畑の人向き。ふだん評価される機会が少ないだけに、喜んでもらいやすい。「この人は、わかってくれている」と、こちらの評価を上げることにつながる。

同期でナンバーワンでしょう

出世欲の強い人や「勝ち組、負け組」といった言葉をよく使う人に効果のあるほめ言葉。そういう人に「同期でナンバーワンでしょう」と声をかければ、相手のプライドを存分にくすぐれるはず。「業界でいちばん」、「会社でいちばん」など、バリエーションも豊富。

○○さんともあろう人が

相手の力量を認めていることを表して、失敗した人を慰め、激励するフレーズ。たとえば、相手が弱気な言葉を吐いたとき、「何を言っているんですか、○○さんともあろう人が」と言えば、相手の実力を認めていることを伝えて励ますことができる。クルマをこすって傷つけたような場合でも、「運転の名手の○○さんが」と言えば、相手を慰められる。

「スキルの高さ」は、ピンポイントでほめる

レスポンスが早いですね

仕事などで〝反応〟が早い人へのほめ言葉。メールやラインの返信が早いというだけでなく、ビジネスでは頼んだ仕事にすぐにとりかかってくれる、すぐに結果を

出してくれるという意味でも使われている。「○○さんは、レスポンスが早いので本当に助かっています」など。

やっぱり、○○さんがやると違いますね

先輩などの仕事ぶりに感心したとき、使うといいフレーズ。他の人間の名前を出さなくても、「他の人とは、ひと味違う」とほめていることになり、単に「すごい」と言うより、いっそう喜ばれやすい。ただし「△△さんとは違いますね」と他の社員の名前を出すと、その人への悪口にもなってしまうのでNG。

交渉力がありますね

本当に交渉力のある人にも使えるが、単に声が大きく強引なタイプにも使えるフレーズ。そうした相手の自尊心をこのフレーズでくすぐっておいてから、こちらの要求を切り出せば、案外すんなりとのんでくれるものだ。

抜群の企画力ですね

最近の新入社員には、商品企画を希望する人が増えている。それだけ企画という

仕事は、憧れの対象になっているわけで、だからこそ、いまの若い人は「企画力」を評価されると、ひじょうに喜ぶ。もちろん、年をとっていても、斬新な企画をどんどん生み出すアイデアマンには、こう言って敬意を払いたい。

さっきのプレゼン、迫力がありました

「迫力がある」は、プレゼンをした人をほめるのに便利な言葉。もちろん、すばらしい内容のプレゼンにも使えるし、内容はさほどでなくても、声が大きく、ジェスチャーなどにインパクトがあれば使うことができる。さらに、若々しさがあるだけでも、「迫力あったよ」と言えば、相手の長所を何かしら認めたうえでのほめ言葉になる。

言葉遣いがいいって、◯◯さんもほめてたよ

地味で目立たない人も、どこかに光るものを秘めているはず。それを探すのも上司や先輩の仕事だが、言葉遣いはその一つ。いつも丁寧に話す、敬語がきちんと話せると思ったときは、この言葉でほめるといい。この言葉のように、評価しているのは自分だけではなく、第三者、それも目上の人からの評価を持ち出すと、ほめ効

果が高まる。

仕事の完成度をほめるには？〈基本編〉

手慣れた仕事ですね

同じ作業を長年続けてきた熟練者の動きには、素人とは違う美しさがあるもの。「手慣れた」には、そんな職人技への敬意を含む響きがある。工芸品などをつくる職人に限らず、会社に長年勤める事務職の社員などにも使いたい言葉。

どこに出しても恥ずかしくない

優れた素材を使い、手間暇かけてつくられた品物をほめるときのフレーズ。「価格は高いが、高いだけの価値がある」、「ほかに似た製品はない」といったニュアンスを含むので、高級品をほめるのにぴったり。

○○さんの書類がいちばん読みやすいです

事務職の人をほめるのにピッタリな言葉。事務職の人は仕事でほめられることが少ない分、ほめる言葉の効果が大きくなる。「書類が見やすい」、「書類の扱いが丁寧」、「気が利く」など、長所を見つけてどんどんほめよう。

○○さんの報告書は、いつもデータがしっかりしていますね

中身のない報告書は、「〜がすばらしい」、「〜は人気がある」などと、報告者の勝手な思い込みと陳腐な形容詞があふれていることが多いもの。一方、しっかりした報告書には、その裏づけとなるデータがきちんと示されている。そんな役立つ報告書を作る部下や後輩がいれば、しっかりほめることが、上司や先輩の仕事といえる。

職業とはいえ、見事なものですね

職人の仕事ぶりや、つくった品をほめるフレーズ。プロだから、うまくできて当たり前とはいえ、そんな常識を上回る見事さを感じたときに使うといい。

まさにプロフェッショナルの仕事ですね

プロ相手でも、「プロの仕事」とほめるのは失礼にあたらない。それでお金を稼いでいても、アマチュアと変わらない仕事しかできない人はたくさんいるからだ。

「あなたは違う」、「本物である」と伝えたいときは、「プロフェッショナル」と略さず言うことで、相手への敬意を存分に表せる。

仕事の完成度をほめるには？〈応用編〉

さすがプロ、ひと味違いますね

プロの自尊心をくすぐるひと言。ただし、「ひと味違う」と言うからには、「どこが違う」のか、言及したい。「この点が私たち素人とは違うところですね」などと具体的に言ってもいいし、違いがわからなければ「何か違うのでしょうが、どこが違うのかな」と疑問形にしてもいい。

手間を惜しまない仕事とは、こういうことなんですね

設計やデザイン、製造など、技術系の人の仕事を評価するときに使うといいフレーズ。技術系の人には、自分の仕事にこだわりや誇りを持ち、いい仕事のためには時間を惜しまないタイプが多い。そんな人には、結果だけを評価するより、そこに至る過程を含めてほめたほうが喜ばれやすい。「これだけのものをつくるには、さ

ぞや大変なご苦労があったでしょうね」などもグッド。

匠《たくみ》の技とは、このことですね

「匠」は、手先や道具を使って物をつくる職人のこと。一般に大工や細工師を指すが、社内の人間の仕事ぶりをこの言葉でほめるのも一法。「匠の技」という、会社員の仕事とはミスマッチな言葉を使うことで、冗談めかしつつも、相手への敬意を伝えられる。先輩に、仕事を手伝ってもらったときなどに適したフレーズ。

○○にかけては天下一品ですね

その人の優れた能力をほめるフレーズ。「天下一品」は、世の中に比べるものがないほど優れているという意味。同じくオーバーな言い回しでも、「世界一」よりも、言われたほうは素直に受け入れやすい。ただし「～だけは天下一品」と言うと、「ほかはダメ」という意味になるのでＮＧ。

まさしく、ゴッドハンド！

「神の手」という意味で、そこから、外科手術できわめて優秀な腕前を持つ医師の代名詞として、近年よく使われる言葉。ほかにも、手先を使う仕事の達人の形容に使うと、ぴったりくる言葉。「見事な細工ですね。まさしくゴッドハンド！」のように。

仕事の中身がわからなくても、ほめることはできる

素人にはついていけない世界ですね

公認会計士や弁護士、コンサルタントなど、知的なプロフェッショナルをほめるのにぴったりのフレーズ。彼らは専門知識をもち、プライドも高いので、生半可な言葉でほめると、かえって鼻白ませることに。「素人にはついていけない」と相手を持ち上げ、それ以上深入りしないほうが、相手から好感をもたれる態度といえる。

会社の心臓部で働いていらっしゃるんですね

初対面のビジネスマンすべてに対して使える便利なフレーズ。「心臓部」とは「なくてはならぬ部署」という意味なので、こう言えば「あなたは会社にとって欠かせない」という敬意を伝えられる。どの会社にも不要な部署はないはずなので、経営企画、総務や経理などはもちろん、営業から工場勤務まで、どのような部署の

人にも使える。

日本を支えていますね

官僚や大企業の社員に使うと、効果的なほめ言葉。彼らには「自分が国を動かしている」、「経済を支えている」と思っている人が多いので、それを素直にほめると、口では「いやいや」と否定しながらも、顔はにやけている人が少なくない。

難しそうなお仕事ですね

技術系の仕事に就いている人の自尊心をくすぐれるフレーズ。技術系の人には、仕事内容を素人に話してもわからないと思っている人が多いし、実際説明してもらったところで、チンプンカンプンのことが多い。そこで、相手の研究対象が「３Ｄテレビの解析構造」とわかったときなど、「難しそうなお仕事ですね」と感心した顔で言っておくと、相手は気分よくうなずいてくれるもの。

2 ほめポイントは、目的にあわせて見極める

相手に何かをお願いするにはまずほめよ

○○さんを見込んでお願いしたいんだけど

後輩社員に面倒な仕事を頼むとき、あえてこのような言い方をするのも一法。誰しも、「見込む＝あてにしている」と頼りにされるのは、うれしいもの。相手のプライドをくすぐれば、気持ちよく応じてくれることが多くなるはず。

君だからこそ頼みたい

単なる「頼みたい」と「君だからこそ頼みたい」では、相手の受け止め方はまるで違ってくる。前者は「誰でもいいけど、とりあえず君に」と、その他大勢扱いさ

れた印象。後者は「大勢いる中で、あえて君に」、「君を評価しているからこそ」と特別扱いされた印象になる。頼みごとを気持ちよく引き受けてもらいたいときに、使いたいフレーズ。

○○さんしかできないと思うんです

宴会の幹事や世話役など、誰がしてもいい仕事でも、名指しで頼まれると断りにくいもの。「あなた以外できない」と自尊心をくすぐられれば、なおさらだろう。これは、そんな人間心理をつくフレーズ。相手に「押しつけられた」と思われないよう、「○○さんは仕切り上手だから」、「○○さんは顔が広いので」などと、持ち上げる言葉を添えたい。

プロのあなたにお任せしたいのだけれど

本物のプロ、あるいはプロではないが、その分野に詳しい人に頼みごとをするときに使えるフレーズ。たとえば、料理好きを自称する人に宴会の店選びを頼むなど、多少強引なこじつけでもOK。「この中では、あなたがいちばんふさわしい」いう意味を含むので、相手は断りにくくなる。

お忙しい方だからこそ

「忙しい」、「時間がない」ことを理由に頼み事を断られそうなとき、それを逆手にとって頼みこむセリフ。「お時間がないことは十分承知していますが、お忙しい方だからこそ、あえてお願いに上がったのです」などと言えばいい。むろん「忙しい」理由が「仕事ができる」、「周囲から評価されている」ことを前提にしているフレーズ。

誰でもいいというわけにはいかないんだ

部下に重要な仕事をまかせるとき、相手の発奮を促し、より責任感を持たせるための言葉。相手の能力を認め、「君しかいない」ことを伝える、ひねりを効かせた言い方といえる。相手に仲間意識を持たせる効果もあるフレーズ。

君以上に詳しい人がいなくて

特定ジャンルに詳しい人に、頼みごとをしたり、相談をもちかけるとき用のフレーズ。「君以上の人はいない」のだから、「上司である自分よりも、君のほうが詳しい」

という意味になる。あえて下手に立つことで、部下の自尊心をくすぐる効果もある。

相談に乗ってもらうときの〝ほめ作法〟とは？

お知恵を拝借したいのですが

目上の人に相談ごとを持ちかけるときに使えるフレーズ。相談するというのは、相手の時間を奪うことでもある。単に「相談したいことがあるのですが」と言うだけでは、無礼と感じる相手もいる。相手が目上なら、「（経験豊富なあなたの）お知恵を拝借したいのですが」と、相手を評価する言い方が必要になる。

相談させてもらってよかったです

親身に相談に乗ってくれた人への、お礼の意味を込めたフレーズ。人の相談に乗るのは、相手にとっては面倒な話。相手は貴重な時間を割《さ》いてくれているのだから、「相談して気が楽になった」、「別の意見が聞けて参考になった」などと謝意を表すのが、大人の礼儀。次回も快く相談に乗ってもらうためにも、言っておきたいひと言。

気持ちが軽くなりました

悩み事を聞いてくれた相手に、最後にお礼の言葉とともに言っておきたいフレーズ。悩み事を言葉にすると気持ちが軽くなるものだが、聞く側にすれば、人の悩みを聞くのは面倒なもの。そんな役回りを引き受けてくれた相手への感謝とともに、相手を聞き上手と評価していることを表せる。「おかげさまで、気持ちがすっきりしました」でもＯＫ。

いいアドバイス、ありがとう

部下や同僚に自分の思っていなかったことを指摘されたとき、感謝の気持ちを兼ねるほめ言葉。「アドバイス、ありがとう」でも悪くはないが、これでは相手をほめたことにはならないし、自分の優位性を保とうという姿勢がやや鼻につく。「いいアドバイス」と言えば、相手の力量を讃えたことになる。

お言葉、胸に刻みました

アドバイスしてくれた人へ、謝辞として返す言葉。「お言葉、よく覚えておきます」や「頭に入れておきます」では、表現が軽いため、謝辞にもほめ言葉にも聞こえない。「親身なお言葉、胸に刻みました」、「有り難いお言葉、胸に刻みました」などと言えば、感謝の気持ちとともに、相手を持ち上げることができる。

会議を有意義なものに変える魔法のほめ言葉

いちばん印象に残る発言でした

会議やプレゼンなど、大勢が発言する場で、特定の人をほめたいときに使うといいフレーズ。「いちばん印象に残った」というのは、数ある発言の中で、とくに新鮮だったり、光るものがあったということ。言われた人は、自分の発言に自信を持つことができ、会議で積極的に発言するようになるだろう。

いつも、的を射た考えを発表されますね

会議でいつも積極的に発言するのだが、なかなか意見が採用されない人がいる。そんな人を励ましたいときに使うといいフレーズ。発言内容をほめるとともに、その人の意見にいつも関心を抱いていることを伝えられる。

面白い意見がたくさん出ましたね

会議で出席者がてんでばらばらな意見を言って、方向性が定まらない。そろそろ、意見を集約したいときに、口にするといいフレーズ。こう言えば、さまざまな意見が出た実り多い会議だったと、出席者の労をねぎらえる。そのうえで、「では具体的にどうするかですが……」、「たとえば先ほどの○○さんの意見ですが……」などと話を収束させる方向に向かえば、出席者の協力を得やすくなる。

それいいですね、私は賛成です！

会議中でのいちばんのほめ言葉は、賛意を表すこと。また、会議中、何も言わずにいると、居づらさを感じるもの。そこで、誰かが同意できる意見を発表したときに、すかさずこう言っておくと、それだけでも一回は発言したことになる。

「講演」「スピーチ」でスマートにほめるには？

とてもためになる内容のお話でございました

講演会などで、人の話が終わったあとに、聞き手がお礼の言葉として述べる定番フレーズ。とくに、医師、栄養士、税理士など、専門家が一般人向けに語った場合に使いやすい。内容に応じてたとえば、「わかりやすいご説明、ありがとうございました」、「さっそく今日からでも実践してみたいと思います」などと付け加えるとよい。

いつも感動させられます

仕事関係などの集まりが続くと、同じ人の同じスピーチを何度も聞くことがある。そんな話をする人に対して使いたいフレーズ。相手も「マンネリと思われていないか」と、多少は心配に思っているだろうから、この言葉で安心させておくといい。

感性を磨かれた気がします

講演やスピーチを聞いたが、率直に言って、話の中身が面白くなく、共感もできなかったときには、とりあえずこうほめておくといい。たとえ共感はしていなくても、「感性が磨かれた」なら、ウソをつくこともなく、相手を満足させることができる。「発見に満ちたお話でございました」や「新しい世界が開けたような気がします」なども同様に使えるフレーズ。

とても歯切れのよいお話しぶりで、聞きやすうございました

スピーチ慣れしていない人の話を聞いたが、とくに内容にはほめるところがなかったときに使えるフレーズ。相手は、話し慣れていない分、話の内容以前に、聞き苦しくなかったか、気にしているもの。うまく話せていたことを伝え、安心させてあげたい。

すばらしいスピーチをいただき、感謝しております

結婚披露宴でスピーチを頼んだ来賓に、宴が終わってから新郎新婦が述べたいフレーズ。当日言えなかった場合は、新婚旅行から帰り、お土産を渡すときに使ってもいい。新郎新婦に限らず、両家の親族が使ってもいい。

もったいないようなお話をいただきました

結婚披露宴でスピーチを頼んだ来賓に、宴が終わった後、新郎新婦や親族が述べる定番フレーズの一つ。とくに、上司や大学時代の恩師などに対して使うといい。「おかげさまで、格調高い式になりました」など、相手の自尊心をくすぐるような

言葉を添えるとベター。

心を打たれました

感動したことを表すとき、単に「感動しました」と言うと、あまりに常套的であるため、どこか嘘っぽく、社交辞令のようにも聞こえがち。そこで、「心」や「胸」を使い、「心を打たれました」、「胸を打たれました」と言えば、多少は真実味が増すもの。

ハッとさせられました

それまで気づかなかったことを気づかせてくれた人への感謝の言葉。同時に、相手の着眼点の鋭さ、発想力などを評価することができるフレーズ。「お言葉に、ハッとさせられました」、「斬新な視点からのご指摘、ハッとさせられました」のように使える。

心に染みました

感動的な話をしてくれた人には、この言葉をかけるとよい。「心に染みる」とは、心の奥深くにまで入り込んでくるという意味。相手の話をそれくらい深く受け止めたと伝えることで、「伝えてよかった」と話し手を喜ばせることができる。

今朝のお話には、とても感動しました

朝礼などで上司が話す訓話は、とかく部下にはうっとうしく、退屈に思えるもの。それでも、多くの上司は、部下に聞いてもらおうと、事前にあれこれ話題を探している。いい話だと思ったときは、そのことを率直に上司に伝えたい。ただし、あまり大げさに言うと、お追従と取られかねないので、さらりとひと言ほめる程度にとどめたい。

人の言葉を借りると、ほめ効果は倍増する

課長も君のことをほめていたよ

後輩をほめたいが、照れくさくてなかなか言えない。そんなときに使えるフレーズ。上司から聞いた言葉として伝えることで、「自分も同じように評価している」ことを伝えられる。また、上司がその場にいない社員のことをほめるのは、それが

いずれ本人の耳に入ることを期待してのことが多い。そんな上司の気持ちを忖度《そんたく》するほめ言葉でもある。

○○さんが、先輩のこと、とても感心していましたよ

後輩が先輩を下手にほめると、僭越な言葉に受け止められかねない。「お前に何がわかる」と思われないためには、人の言葉を借りるといい。先輩が担当している取引先など、先輩のことをよく知る人の言葉を借りてほめれば、僭越と思われることなく、相手の自尊心をくすぐれる。

○○だって、同期の間では好評よ

同期同士では、いろいろな話をするものだが、同期の社員が仕事でミスをして落ち込んでいるときには、こんな噂話のかたちで励ますのも手。目の前の相手だけでなく、同期全員が評価してくれていると知れば、自信回復の手がかりにもなる。むろん、○○にはポジティブな言葉を入れること。

取引先をほめるなら、ズバリここ！

アクセスのよい場所にありますね

人のオフィスを訪ねたときに使えるほめ言葉。「アクセスがいい場所なので、すぐにわかりました」、「空港にも近いですし、アクセス抜群ですね」などと使う。会社の立地条件をほめることは、経営者の判断や力量をほめることにもつながる。

新しいオフィスは気分がいいですね。私もこういうところで働きたいものです

人のオフィスを訪問したときに使えるほめ言葉。オフィスが移転したばかりのときに使うと、喜ばれる。「新しくて気分がいいですね。私もこんなきれいな場所で働きたいものです」などと使う。新しいオフィスに来て、こちらが感想を一つも言わなければ、相手は物足りなく思う。ひと言でいいので、喜ばれるコメントを述べるのが大人のお約束。

社内のムードがいいですね

はじめての会社を訪問したときに、使うといいフレーズ。業績を伸ばしている会社には、「挨拶応対がしっかりしている」、「社内に緊張感がある」など、何かしら長所があるもの。「ムード」の具体的内容として、その点をほめると、その後、会話が弾みやすくなる。長くつきあっている取引先には、「いつ来ても、御社はムードがいいですね」と言えばいい。

すばらしいメンバーが揃っていますね

特定の部署やプロジェクトチームに対するほめ言葉。自分の属する部署に使ってもいい。同じ仕事をするなら、誰しもいいメンバーと一緒にしたいもの。現実はどうあれ、「すばらしいメンバー」とほめておけば、自分も周囲もその気になれるはず。

3 目上も目下もお互いにどんどんほめればいい

一人前のヨイショはどこが違うか

頼もしいです

期待感を表すほめ言葉。「若いのに頼もしい」、「将来が頼もしい」というだけで、たとえ具体的な中身を指摘しなかったとしても、十分なほめ言葉になる。また、相手の子供や孫を「将来が頼もしいですね」とほめれば、その若者と同時に相手もほめていることになる。

もったいないです

おもに、目上へのほめ言葉として使える。たとえば「○○さんほどの人が、こんな仕事をするなんて、もったいないですよ」と言えば、相手を高く評価していることを表せる。また、上司のでしゃばりを避けたいときには、「部長直々《じきじき》のお出ましなんて、もったいないです」と言えば、部長を持ち上げながら断れる。

大変勉強になりました

相手に感心したとき、「すごい！」とひと言で表現してもいいが、それは、どちらかといえば、同世代や年下相手のほめ言葉。年配相手には、お手本になったという気持ちを込めて「大変勉強になりました」というフレーズを使えば、ほめるとともに、仕事に前向きな態度をアピールできる。

見習わせていただきます

「お手本にしたい」、「仕事ぶりを参考にしたい」というのは、先輩に対する効果的なほめ言葉。その後ろに、「今度ぜひ、営業マンとしての心得を教えてください」、「今度ぜひ、いつもお読みになっている本を教えてください」などと付け加えれば、尊敬の念をより具体的に表せる。

○○さんがいなかったら、どうなっていたことか

「すべては○○さんのおかげ」という意を〝反実仮想〟的な表現で強調する言い方。たとえば「○○さんのご支援があったからこそ、ここまで漕ぎつけられました」と言ったあとに、「○○さんがいなかったら～」、「もし、ご支援がなかったから」と続ければ、〝できるはずがなかった〟↓〝すべては○○さんのおかげ〟という意味を強調して表せる。

○○さんは、みんなの憧れの的なんですよ

仕事のできる先輩や出世した学校・郷里の先輩あたりに対して使う言葉。単に「憧れています」と言うと個人的な感想にとどまるが、「みんなの憧れ」と言うと、多くの人が憧れるほどの活躍ぶりという意味になり、相手の承認欲求をより大きくくすぐることができる。

いつもエネルギーをもらっています

エネルギッシュな人、いつも明るく前向きな人にかける言葉。実際、そういうタイプと話すと、何かと刺激を受けるもの。「○○さんとお話ししていると、こちら

まで、元気が出てきます」も同様に使えるフレーズ。

○○さんの下で働けて幸せです

新しいプロジェクトチームが発足したときや、人事異動で新しい部署に移ったときなど、直属の上司に伝えるといい言葉。上司は部下にどう思われているか、けっこう不安に思っているもの。一緒に仕事ができる喜びを素直に伝えられれば、部下のために頑張ろうという気にもなる。お世辞じみているからと黙っているより、言ったほうが得。

何を聞かれても答えられるなんて、本当にうらやましいです

頭がいい、仕事がデキると評判の先輩に、会議のあとなどで使うといいフレーズ。「仕事がデキる」と自負している人も、後輩から憧れの目で見られるのはうれしいもの。この言葉のあと、仕事の取り組み方について質問すれば、こちらの積極性を示すこともできる。

短いひと言でキリッとほめよう

やるじゃないか

部下・後輩がいい仕事をしたとき、すかさず述べたいひと言。新しい契約をとった、取引先からいい評判を聞いた、後輩に的確なアドバイスをしたなど、さまざまな場面で使える便利な言葉。部下にとっては、上司が考えている以上に、上司からのほめ言葉が励みになるもの。簡単な言葉なだけに、気がついたとき、どんどん言うようにしたい。

はりきっているな

大仕事を前に、いつもより早く出社したり、準備に余念のない部下や後輩に使うといいフレーズ。頑張っているところを気づいてもらえるのはうれしいもの。「はりきっているな」と声をかけるのは、「君のことをちゃんと見ているよ」というメッセージにもなる。

打たれ強いなあ

厳しく叱られたり、大事な場面でミスをした部下や後輩をフォローするときに使うといいフレーズ。〝打たれ弱い〟人が増えている分、十分なほめ言葉になる。「逆境に強いタイプだね」も同じ意味。失敗や挫折を乗り越え、成果を出した部下や後輩に、その強さを讃える意味で使ってみたい。

筋がいいね

新人や新しい仕事に取り組む部下や後輩が、コツをつかんできたときに使うといいフレーズ。不慣れで不安な仕事でも、うまくいったところを「筋がいい」とほめられれば、「この仕事は自分に向いている」と自信を持つことができ、さらに熱心に取り組むようになるかも。

ナイスチャレンジ！

仕事で失敗した部下に、上司はつい叱責の言葉をかけやすい。だが、部下が積極的に取り組んだうえでの〝向こう傷〟なら、その積極さをほめることも大切。とはいえ、長々とほめるのも白々しいので、このような短くくだけたフレーズをかけておくといい。暗くなりがちなムードを明るくする効果もある。

脱帽するよ

目上が部下に言うと、いっそう効果的になるほめ言葉。「脱帽する」は、相手の力量に感服し、負けを認めることだから、たとえば、上司が「君の交渉力には脱帽するよ」と言えば、部下の交渉力を認め、とてもかなわないと認めることになる。目上に対しても使えるが、目上から言う方が〝ほめ効果〟は大きくなる。

一流だね

部下や後輩を漠然とほめたいときに使えるフレーズ。プロ野球でも、一軍の試合に出ていれば、とりあえず「一流」と呼ばれる。会社でも、とりあえず戦力になっていれば、「一流だね」とほめておけばよい。こう言われて悪い気のする人はいない。

さすがは、期待の星！

若手が何かを成し遂げたときに使うフレーズ。たとえば、若手社員が新しい契約をとってきたときや、プレゼンに成功したときなどは、こう声をかけるといい。「さすがは、期待の星。○○社の契約をとるとは、見事だね」など。ただし、これも「期待」という言葉を使うため、目上、年上には使えない。

裏切らないねえ

いつも手堅い仕事をする人、実力に定評のある人に対するほめ言葉。「いつもながらの手堅い仕事ぶり、期待を裏切りませんね」のように使う。ただし、「期待」という言葉がたぶんに〝上から目線〟のニュアンスを含むので、目上には使えないフレーズ。他の社員と少し差をつけたほめ言葉で、「君は他の社員と違う」と匂わせれば、デキる社員のプライドをくすぐれる。

存在感があるね

無口で内向的な人に使うと、効果的なフレーズ。いつもおとなしい人も、内心では「人から注目されたい」、「特別な存在でいたい」という気持ちを持っていることが多いもの。「一見目立たなくても、じつは存在感がある」と言われると、自信を持てるようになり、そう評価してくれた相手に好意を抱くようになるはず。

「部下・後輩」をどうほめる？〈仕事の進め方編〉

いい仕事してるね

頑張っている後輩を励ましたいときに使うといいほめ言葉。とくに、頑張ってはいるが、結果が出ずに落ち込んだり、結果が出るまで先が長い仕事に取り組んでいる相手に使うと効果が高い。先輩からこうほめられることで、自分の仕事ぶりに自信を持て、新たな気持ちで仕事に取り組みやすくなる。

安心して見ていられるよ

仕事に慣れてきた若手社員へのほめ言葉。最初の頃は上司や先輩の手助けが必要だった社員も、経験を積むなかで、自分一人でできるようになっていく。若手社員がその段階に達したら、そのことを伝えて励ましたい。

ひときわ目立っていたね

会議で積極的に発言したり、いいアイデアを出した部下や後輩をほめるフレーズ。

実際にその意見を採用しなくても、会議への取り組み方をほめることができる。「君の発言がいちばん光っていたよ」も同じ。企画書などについても使える。

それが○○さんのいいところだよ

上司から見て長所と思うところも、部下は自分では気づいていなかったり、欠点と思っていることすらある。部下が好ましいと思える言動をしたときは、すかさず、「君は○○だね」と長所を指摘し、「そこが君のいいところだよ」とほめるようにしたい。

○○さんの考えどおりに進めて大丈夫

「十分できる」と認めた部下に仕事をまかせるときに、使うといいフレーズ。部下は、上司から信頼されると、誇らしく思うもの。とくに、若い社員にとって、こう言われるのは自分を「一人前」と感じる瞬間でもある。

若いのに礼儀正しいって、お客様がほめていたよ

「礼儀正しい」、「時間に正確」といった社会常識的な事柄は、改めてほめにくいも

の。新入社員や若い社員のそうした点をほめるときは、社外の人間の言葉を借りるとほめやすい。言われるほうも、身近な上司や先輩よりも、社外の人間からの言葉のほうが素直に受けとめることができ、いっそう礼儀正しくあろうと、努めるようになる。

この一年、本当に成長したと思うよ

新入社員や社歴の浅い社員は、自分が成長しているのかどうか不安なもの。日々の仕事に流され、成長を実感できない人も多い。入社一年、配属されて一年、後輩を持って一年など、一年を一つの区切りとして、部下や後輩の成長ぶりを評価する言葉をかけたい。

「部下・後輩」をどうほめる？〈仕事の成果編〉

○○さんらしくていいね

部下の出した企画をボツにするとき、前振りとして使うといいフレーズ。「こんな企画、とても使えないよ」と否定的なことばかり述べたのでは、部下はやる気を

失ってしまう。「君らしさが出ている」と部下の個性を評価しておけば、そのあと「でも……」と企画をボツにしても、部下は「自分自身は評価されている」と自信を持つことができる。

ずいぶんよくなったと思うよ

仕事のやり直しを命じた部下が、手直ししたものを持ってきたとき使いたいセリフ。「ご苦労さん」などと当然のように受け取ると、部下は張り合いを感じることができない。さらなるやり直しを命じるときも、このセリフを言ってから、「でも、この点がまだちょっと……」と言えば、部下は徒労感を抱きにくくなる。

君ならやれると思ってたよ

手こずっていた仕事を無事成し遂げた部下へのほめ言葉。仕事ぶりを評価するとともに、「大変な仕事を与えたのは、君を評価していたから」、「君を信じて、あえて口出しせずに見守っていた」という、こちらの意図を伝えられる。「面倒な仕事を押しつけられた」と恨まれないためにも、言っておきたい。

よかった！　次回も期待しているよ

大口の顧客を獲得するなど、いい仕事をした部下に対して、使うといいフレーズ。上司として喜ぶ気持ちと同時に、重要な戦力と見ていることを伝えられる。「期待している」と言われて、うれしくない人はいない。出し惜しみせず、どんどん言いたいフレーズ。

○○くんだから、ここまでできたんだよ

営業目標をクリアできなかった、あと一歩のところで商談が流れたなど、仕事がうまくいかずに落ち込んでいる部下に使いたいフレーズ。熱心に取り組んだうえでの結果なら、とりあえず、それまでの努力をねぎらいたい。同時に「君だから」と言うことで、部下の自尊心をくすぐり、再起を促せる。

いよいよ頭角を現してきたね

「頭角を現す」は、それまでは隠れていた才能や実力が目立ってくること。「期待のホープがいよいよ頭角を現してきましたね」のように、近年、実力を発揮しはじめた若手社員らに対して使うとしっくりくる言葉。

うまくいったのは、君の存在が大きかった

チームで進めた仕事にも、中心になって活躍した人がいるはず。チーム全員を一括りにして「よくやった」と言うだけでなく、中心となった人には別個にほめ言葉をかけたい。ただし、大勢の前で言うと、周囲の嫉妬を買うもとなので、一対一のときに言うのが、大人の知恵。

僕が新人の頃は、君みたいにできなかったよ

上司や先輩と、新入社員の仕事ぶりに差があるのは当然のこと。「仕事ができない」と落ち込む新人には、自分の若い頃と比べれば「すごい」とほめるのも手。自分には手の届かない存在のように見える上司や先輩が、若い頃は自分と同じか、それ以下だったと知れば、新人にとって大きな励みになる。

この仕事を君に頼んだのは正解だったと、つくづく思うよ

仕事をまかせた部下が、期待以上の成果を出したときに、使うといいフレーズ。単に「よくやった」と言うのでなく、「他の社員では、ここまでできなかった」、

「君は他の社員よりも上」というニュアンスを含ませられるので、相手のプライドをくすぐることができる。ただし、他の社員が嫉妬しないよう、人のいないところで言うこと。

どこへ行っても大丈夫。僕が保証するよ

人事異動で別の土地や部署に移ることになった部下、後輩に使うといいフレーズ。社会経験の少ないときほど、新しい職場への異動に不安を感じるもの。そこで上司や先輩が、これまでの仕事ぶりから「君なら大丈夫」と励ませば、相手は「自分は評価されている」と自信になり、前向きな気分で新しい仕事に取り組むことができる。

「部下・後輩」をどうほめる？〈将来性編〉

いちばんの成長株じゃないかな

「成長株」は将来、大きく値上がりしそうな株のこと。そこから、比喩的に、将来性豊かな人を意味する。「いちばんの成長株ではないかと、もっぱらの評判ですよ」などと使う。

将来有望だと思うよ

新入社員や入社経験の浅い後輩、部下の、評価できる点に対して使うといいフレーズ。「挨拶が元気」、「返事がいい」、「取引先の評判がいい」など、ちょっとしたことにも使える。誰しもほめられればうれしくなり、頑張ろうと思う。「現在」は評価できる部分が少ない若手でも、「将来」についてならほめやすい。

才能はあると思うよ

後輩や部下が、いい仕事をしたときに使うといいフレーズ。若いときは、自分がこの仕事に向いているのか、不安に思うもの。経験豊富な先輩や上司から「才能がある」と言われれば、自信が持て「頑張ろう」という前向きな気持ちになる。あえて「才能は」とすることで、「あとは努力しだい」というニュアンスをほのめかすこともできる。「ポテンシャルは高いと思うよ」も同様。

大物になりそうだな

まだ何の成果も出していない新人や若者に、「期待している」ことを伝えたいときに使うといいフレーズ。将来のことは誰にもわからないので、どんな相手にも使える便利なセリフだ。「物事に動じない」、「声が大きなところがいい」など、具体的に長所を示しながら言うと、説得力が増す。

リーダーシップがありそうですね

責任感が強そうなど、リーダーに向いていそうな人がいたら、とりあえず言っておくといいフレーズ。本人は自覚していなくても、人からそう言われると「リーダー的な役割を担わなくては」と自覚を持ち、進んでみんなのまとめ役を務めるようにもなりやすい。

若いのにしっかりしてるね

年の離れた若手を評価するときに、使うといいフレーズ。「仕事が丁寧」、「きちんとした敬語を話せる」、「面倒見がいい」など、具体的なポイントを挙げてほめればベター。似た言い方に「年のわりにしっかりしてるね」があるが、これだと「まだまだ未熟」の意味もあり、ほめたいときにはNG。

もっと上を目指せる人だと思うよ

最初は張り切って仕事していた若手も、慣れてくると、つい手抜きをしがちなもの。当初の熱意を感じられなくなってきたときに、使うといいフレーズ。頑張れば、さらに上のステージがあることを伝えると同時に、「君にはそれだけの力がある」という期待と励ましの声をかけたことになる。

励ましながらほめるのが、プロのやり方

君なら乗り越えられるハードルだ

順調だった営業成績が落ち込みはじめるなど、部下が仕事の壁に突き当たることがある。そんなスランプに陥った部下に使いたいフレーズ。壁に突き当たった部下を叱責しても効果は上がりにくい。それよりも「君には能力がある」、「君を信頼している」という気持ちを伝えて、自信を取り戻させ、焦る心をほぐしたほうが効果的。

君が本領を発揮すれば、万事うまく行くよ

スランプに陥り、自信をなくしている部下にかけるといいひと言。スランプに陥

ると、自分が情けないダメ人間のように思えてくるもの。そんなときには、多少オーバーなくらいのほめ言葉をかけたほうがいい。「君の実力は、十分承知しているから」もＯＫ。逆に「スランプから早く脱出してくれないと困るよ」などという言葉は焦らせるだけなので禁物。

君にまかせておけば大丈夫だ

信頼できる部下に仕事をまかせるときに、ぴったりのフレーズ。「君を信頼している」と言うことは、相手からの信頼を得ることにつながる。とりわけ、自分の能力に自信をもてない部下に効果的。ただし、軽い口調で言うと、「丸投げ」、「無責任」と取られかねないので、誠実な態度で言うようにしたい。

いざとなったときの君はすごいから

仕事で失敗して落ち込んでいる後輩や部下に使うといいフレーズ。「去年、納品日に間に合いそうになかったとき、君のがんばりで間に合ったじゃないか」などと、過去、実際にすごかった事例を挙げながら言いたい。「君の実力は、わかっているつもりだよ」、「君はできる人だから」などでもＯＫ。

あの状況をほめ言葉に一発変換する

僕は自慢に思っているんだ

部下に対し、「こうあってほしい」という自分の理想像を伝えたいときに、使うといいフレーズ。部下に「もっと接客態度をよくしろ」とストレートに言うと、反感を抱かせる原因になりかねないが、「君たちの接客態度のよさを僕は自慢に思っているんだ」と言えば、たとえ現実は違っても、部下は「自分たちは接客態度がいい」と錯覚し、さらに上司に評価されようと、よりよい接客態度を目指すようになるだろう。

むしろ遅いぐらいの抜擢だと思うよ

同期より出世が遅れ気味だった後輩が出世し、重要なポジションを与えられたときに、使うといいフレーズ。自分は以前から能力を認めていたことを伝えるとともに、新たな役割を担う後輩を励ますことができる。

おめでとう。いい人事だと思うなあ

明確な出世とは言いがたい異動が決まった後輩に使うといいフレーズ。「いい人事」とぼかすことで、「今度の部署は君に向いている」、「会社は君のことを考えている」と伝え、励ませる。とくに、後輩が異動に納得していない場合は、不満顔の後輩に同調して「オレもおかしいと思う」と言うよりも、このように言ったほうが生産的。

はまり役だと思うよ

新しい役職を与えられ、不安を感じている後輩に使うといいフレーズ。能力や経験の有無ではなく、「君の個性がこの仕事に向いている」と伝え、励ませる。「君の几帳面なところが、この仕事のこういうところに向いている」などと、後輩の能力を具体的に評価しながら話せば説得力が増す。

STEP6

プロは、相手の「見た目」を上手にほめる

1 外見をほめるのは、いつだって難しいけれど

相手の「見た目」をほめる基本フレーズ

魅力的ですね

具体的なほめ言葉を思いつかないとき、男女の別なく使えるフレーズ。内面からにじみ出る輝きや、充実して生き生きしている様子をほめるときにも使える。「私なんか、これと言って取り柄もないし」と落ち込んでいる人には、「○○さんは、今のままでじゅうぶん魅力的ですよ」と言えば、最高のほめ言葉となる。

品がありますね

服装、メイク、髪型、持ち物など、何にでも使える便利なほめ言葉。「今日のコ

ーディネート、品があって素敵ですね」のように、「品がある＋素敵」を組み合わせると、万能のフレーズになる。人物の品格をほめるときは、「育ちがよさそうですね」と言うよりも、「○○さんは品があって素敵な人」と言えば、ほめ言葉の品格もアップする。

颯《さっ》爽《そう》としていますね

最近、力をつけてきた若手や新しく転属してきた人たちに対して、フレッシュな勢いを形容するときに使いたい言葉。プレゼン前など「颯爽としているね。その調子で頼むよ」と笑顔で声をかければ、相手のやる気はぐんと増すはず。女性部下に対しても、外見を具体的にほめるよりも、「颯爽として見えるね」と言ったほうがスマートかつ無難。セクハラと勘違いされずにすむ。

かっこいいですね

昨今、女性の容姿についてふれるときは、セクハラ表現にならないような気遣いが必要。その点、当たり障りなく使えるのが「かっこいい」というフレーズ。「キレイだね」という表現を「今日のスーツ、かっこいいね」と言いかえるだけで、性的な匂いを消し去れる。ほかにも「会議での発言、かっこよかったですよ」など、さまざまに応用できる。

さわやかですね

「さわやか」は〝明朗、清潔、誠実〟の3要素をひと言に詰め込める便利な言葉。たとえば、営業マンに「○○さんは、いつお会いしてもさわやかですね」と言えば、喜ばれること請け合い。「今日も笑顔がさわやかで」、「さわやかな装いですね」など、バリエーションはさまざま。

輝いていますね

目上の人をほめたいとき、思ったことをそのまま口にするのは、いささかリスクが高い。たとえば、「裸一貫からのし上がったんですね」などと言えば、ほめ言葉というより、むしろムッとされるかもしれない。気分よくなってもらうには「漠然とした言葉」を使うのが、一つのコツ。「いつも輝いていらっしゃるから」、「まぶしくて近づきがたい存在ですよ」などと言ってみるといい。

個性的ですね

奇抜すぎるファッションや、理解できないセンスをほめるときに活用できる言い回し。「個性が光るコーディネートですね」のように、人物の個性をほめる場合と、「個性的な形のバッグだね。似合っているよ」というように、モノの個性をほめる場合、どちらにも使える。ただし、なかには個性的と言われたくない人もいるので、人柄（個性）を見極めよう。

オーラを感じますね

目上の人物は、見た目だけでなく、内面も合わせてほめたいが、そんなときは「オーラ」という言葉が便利に使える。人物が放つオーラ（雰囲気）は、その人が積み重ねてきた人生そのもの。渋さ、懐の深さ、凄味などを「オーラがある」のひと言に凝縮できる。目上の人に対する尊敬と驚きを表し、優越感に浸ってもらえるフレーズ。

「表情」と「声」を上手にほめるには？

いつもにこやかでいらっしゃる

いつもニコニコしている人柄の良さをほめるフレーズ。人は笑顔に元気づけられ、惹かれるもの。いつも笑顔でいる人は、気分のムラがなく、性格のよさを感じさせるものだ。そこを率直にほめればいい。若者に使う場合は「いつもニコニコしていますね」と言い換えてもいい。

ハリのあるお声ですね

元気なお年寄りに用いる定番フレーズ。話し方や声のトーンには、その人物の人柄のみならず、生命力がにじみ出るもの。声をほめるという形をとりながら、間接的にはその人の若々しさをたたえることになる。

笑顔がいいですね。みんなから言われませんか？

思わず笑顔をほめたくなるような人は、本人も自分の笑顔に自信があって、人からも「笑顔がいいね」は言われ慣れていることが多い。そこで「みんなにも言われない？」と、過去に笑顔をほめた人たちの力を借りれば、ほめ言葉のパワーをアップできる。〝みんな〟を使ったほめ方は、覚えておくとアレンジがきく。

さりげなく「服」をほめるのがうまい人の言い方

とてもよく似合っているよ

「もしかしてこの服、似合っていないかな？」と、不安に思うことは誰にでもあるはず。この言葉は、そんな不安を打ち消して相手を喜ばせるフレーズ。とくに、デートなどで異性と会うときは、自分に似合うと思った服を選んでいるもの。恋人のおしゃれをほめるのにぴったりくる言葉だ。

仕立てのいいスーツですね

ビジネスマンのスーツをほめるときの定番フレーズ。いつもパリッとスーツを着こなしている取引先やお客に、さりげなく用いるといい。ビジネスマンにとってスーツは戦闘服と同じ。それをほめられると、仕事のできる男と言われたような気がするものだ。「○○さんのスーツ姿は、ビジネスマンのお手本ですね」も使えるフレーズ。

いつもセンスのよいものをお召しですね

「お召しになる」と言うと、「着ていますね」と言うより、ぐっと敬意のこもった言葉になる。また、「今日のお召し物、とても素敵ですね」というように、洋服のことを「お召し物」と表現すると上品な印象になる。ただし、年上や目上の人の服装をほめるときには、ぴったりきても、若い人相手に使うのは似合わない。

○○のスーツを着こなせるなんて、さすがですね

一着ウン十万円もするオーダーメイドのスーツは、男のステイタスを表すアイテム。○○に有名ブレンド名を入れて、「そんなスーツを着こなせるあなたはすごい」とほめると、相手のプライドをくすぐり、優越感に浸ってもらうことができる。男性の場合、高級腕時計やクルマもステイタスシンボルになるので、それをほめるのも相手のプライドをくすぐるポイントとなる。

趣味がいいですね

奇抜なファッションやメイクを好むのは、自分のことを個性的だと思っているから。傍目には、とても「ステキ」と思えないような服装でも、本人はよかれと思って着ているもの。このフレーズを使えば、その人なりの世界観をほめることができる。

おしゃれは○○さんがお手本だと言っているんです

人間心理は不思議なもので、真正面からほめられると「お世辞か？」と思うのに、「仲間にもほめてるんですよ」と言われると、疑いもなく喜んでしまうもの。ほめ言葉にリアリティをもたせたいなら、第三者を登場させるのがコツ。「○○さんの服装はおしゃれでかっこいいって、うちの若手にも言っていましてね」などというのも使える。

着こなしがキマってますね

これは、自他ともにおしゃれと認める人へのほめ言葉。そもそも「着こなす」という表現は、誰でも身につけられるものに対してはあまり使わない。個性の強い服、コーディネートの難しい小物類を自在に扱える人に限った表現だからこそ、ほめ言葉となる。

ファッションセンス抜群ですね

「センス抜群」と言われると、誰しもうれしく思うもの。ところが、なかには「センスなんてないですよ。ファッション誌の真似をしてるだけですから」などと謙遜してみせる人もいるだろう。そんなときは「いやあ、生まれつきのセンスがなかったら、磨くこともできませんよ」と、すかさず切り返そう。

何を着てもお似合いですね

ファッションについての知識が乏しくても、手軽に使える便利なフレーズ。ファッションを上手にほめるコツは、相手の〝おしゃれポイント〟を見つけることにあるが、そうするには相応の知識が必要になる。また、「何を着ても似合う」というのは、ファッションをほめているようでいて、じつは相手の風貌やスタイルをほめているので、その意味でも喜ばれる。

いつもきちんとした身なりをされていますね

人は「きちんとしている人」には信頼を寄せ、好感を持つもの。とりわけ、自己管理力や清潔感が重視されるビジネスの場では、「きちんとした身なり」や「きちんとした髪型」は、十分なほめ言葉となる。ただし、「きちんとしている」には〝感心に思う〟という上から目線が含まれるので、目上に対して用いると生意気に思われる。

シックな着こなしですね

シック（chic）は、フランス語で「粋で上品な着こなし」という意味。その意味どおりに、センスよく粋に着こなしている人をほめる定番フレーズだ。たとえば、「そのドレスをシックに着こなすなんて、さすが○○さんですね」のように用いる。

エレガントですね

パーティの席などで、着飾った女性に対して用いる定番フレーズ。かしこまった席では、「華やかですね」と言うよりも、「エレガント」のほうが、場の雰囲気に合った表現といえる。実際、メイクや髪型まで全身ドレスアップしているときは、身のこなしまで優雅になるものだ。ただ、和服姿の女性に対して使うと、しっくりこない。

「若さ」をほめて、相手に喜ばれる方法

いつお会いしても、若々しいですね

お年寄りにかけたい言葉。実際には若く見えなくても、活動的で元気な様子を「若々しい」と言い変えるのがポイント。久しぶりに会ったお年寄りには、「少しもお変わりないですね」のひと言を。高齢者には「変わらない＝老いていない」という意味に聞こえるので、悪く受けとられることはない。

まるで、姉妹のようですね

母親と娘が連れだって歩く姿を見かけたときの定番フレーズ。ただし、母親を喜ばせても、娘に対してはほめ言葉になっていないので、その後、娘に対して、「おきれいになりましたね」のひと言を添えるようにしたい。

とても子供がいるようには見えませんよ

同窓会などで久しぶりに会った女性に対して、〝女性としての魅力があふれている〟ことを伝える言いまわし。「えっ？　独身だとばかり思ってたよ。とても子供がいるようには見えないなぁ」と驚くのが定番のひと言だった。

すっかり大人っぽくなられて

若者をほめるときのフレーズ。若者に向かって「若いね」と言ってもほめたことにならないが、このように言えば「立派になった」、「成長した」というニュアンスを込められる。

「子供」をほめるなら、忘れてはいけないこと

活発でいらっしゃる

元気で活発な子供のことを、親に向かってほめる言葉。「もう自転車に乗れるんですか。活発でいらっしゃいますね」、「ご活発ですね。大きな声でしっかりと受け答えができるなんて」などと使う。騒いだり走り回ったりするなど、落ち着きのな

い子に対して何か言わなければならないときも、この言葉で乗り切れる。

お母様のしつけがよろしいのですね

行儀のいい子供をほめる言葉。「こんなに小さいうちから、きちんと挨拶ができるなんて、お母様のしつけがよろしいのですね」、「子供はじっとしているのが苦手なものですが、きちんと待つことができるなんて、お母様のしつけがよろしいのでしょうね」など。子供をほめながら、同時に親のこともほめられるフレーズ。

わあー、いちばんかわいい時期ですね

小さな子供をもつ親に喜ばれるフレーズ。「今3歳なんですか。わあー、いちばんかわいい時期ですね」、「ヨチヨチ歩きで目が離せないけど、いちばんかわいい時期ですよね」などとほめる。3歳ぐらいまでなら、「いちばんかわいい時期」と言ってさしつかえない。

おじいさまに似られたんですね

孫自慢の人には、こんな言葉が喜ばれる。「かわいらしいですね。おじいさまに似

られたんですね。目元がそっくりです」など。孫がかわいくて仕方がない人は、自分と似ていると言われると喜ぶもの。どこか似ている点を探して、ほめるといい。

お人形さんみたいですね

男の子、女の子を問わずに使えるほめ言葉。子供や孫の写真を見せられたら「お人形さんみたいで、かわいらしいですね。今、おいくつですか？」などと会話をつなげるといい。なお、男の子の性別を女の子に間違えてしまったときにも、このフレーズを使って、「失礼しました。お人形さんみたいにかわいらしいので、間違えてしまいました。おやさしいお顔立ちですね」のようにフォローできる。

「赤ちゃん」をほめるなら、忘れてはいけないこと

小っちゃくてかわいい手！　もみじみたい！

生まれてまもない、小さな赤ちゃんをほめる定番フレーズ。男の子か女の子か、見ただけではわからないときなど、「小っちゃくてかわいい手ですね！　もみじみたい！」などとほめておけばよい。小さな赤ちゃんの手は、ぷくぷくとやわらかく

愛らしいものなので、性別を問わずにほめ言葉として使うことができる。

目鼻立ちがはっきりしていますね

目が大きいなど、顔立ちがはっきりした赤ちゃんへのほめ言葉。「目鼻立ちがはっきりしたお子さんですね。かわいいですね」などと使う。「はっきりした顔立ち」というのは、現代では美男子・美人の条件の一つなので、喜ぶ親が多い。もし母親に似ていれば、「目鼻立ちがはっきりしているのは、お母さん似ですね」などとほめると、なお喜ばれる。

お父様に似て男らしい顔立ちですね

男の赤ちゃんをほめるなら、父親の顔を引き合いに出すと自然に聞こえる。「お父様に似て、男らしい顔立ちですね」、「しっかりした眉毛は、お父様そっくりですね。男の子らしい、意思の強そうな顔立ちですね」など。

大きいですね。きっと元気に育ちますよ

丸々と太った赤ちゃんに対しては、こんな言葉をかけると喜ばれる。「大きな赤

ちゃんですね。きっと元気に育ちますよ」、「手足が長い赤ちゃんですね。きっと背が高くなるんでしょうね」など。幼い子供をもつ親にとっては、「元気に育ちそう」と言われるのはうれしいもの。男女ともに使うことができるフレーズ。

「相手のパートナー」をほめるなら、忘れてはいけないこと

やさしそうなダンナさんじゃない

友人の伴侶をほめるときに使える言葉。「今日はダンナさんが子供の面倒をみてくれているのね。やさしそうなご主人じゃない」、「休日に料理を作ってくれるなんて、うらやましいわ。やさしそうなダンナさんで幸せね」などと使う。ただし、夫の顔を見たあとに「やさしそう」と言うと、ほかに「ほめるところがないのか」と思われることもある。

頼りがいのあるご主人ですね

知人の夫をほめるときに便利なフレーズ。「ご主人は何でもお詳しくて、博学でいらっしゃいますね。頼りになるご主人で、うらやましいです」などと使う。夫本

人を目の前にして使うよりも、妻だけのときにほめたほうが、ぴったりくる。

いい方とめぐり会いましたね

結婚式などで、新郎新婦から伴侶を紹介されたときに使える言い回し。「ご結婚おめでとうございます。いい方とめぐり会いましたね」、「いい方とめぐり会えて、お幸せですね。お父様お母様も、お喜びでしょう」などと言う。決まり文句なので、相手のことを詳しく知らなくても使うことができる。

お似合いのカップルですね

結婚したばかりの二人に対して使えるほめ言葉。本人たちにも、親族に対しても使える。「お二人の写真を拝見しました。美男美女で、じつにお似合いですね」などと使う。結婚式では「本日はお招きいただき、ありがとうございました。お似合いのカップルで、うらやましいかぎりです」というのが定番フレーズ。

2 焦点を絞ってほめられるのは、誰だってうれしい

「身体のパーツ」を自然体でほめるには？

鼻筋の通った顔立ちですね

美男美女をほめるときの古典的なフレーズだが、鼻筋が通った顔は「上品な美人顔」ではあるが、言いかえればツンと澄ました顔とも言える。「鼻筋の通った美人でお高くとまっている」と、皮肉を含むこともあるので、女性に用いるときは注意。一方、男性に対しては「鼻筋の通った色男」など、好意的に表現できる。

福耳ですね

ほめ上手のポイントは、本人が自覚していない長所を見つけること。顔のパーツ

で言えば、目や唇ではなく、あえて耳の形にフォーカスするのも効果的。金運・幸運のシンボルである「福耳」をほめられて、嫌な気持ちになる人はいない。「顔のバランスは、耳の形や位置が重要だそうですよ。あなたは耳の形がすばらしいですね」と言うのもおすすめのほめ方。

ピアニストのような指ですね

女性の指の美しさを「白魚のよう」と表現するが、ピアニストの指にたとえると「器用そう」というニュアンスも込められる。また、女性の指は、細さや爪の形などを具体的にほめるのもコツ。ただ「きれいな手」というだけでは「家事をしていない手」と言われたように思う人もいる。

「髪」をほめるときの大事なポイント

（ヘアスタイルを変えて）ぐっと華やかになりましたね

女性が髪型を変えるのは、イメージチェンジをしたいとき。そんなとき、「髪型、前よりよくなったね」と言うだけでは不十分。髪型を変えたことで「ぐっと華やかになった」ことをほめるのが、女心を満足させるポイント。

お髪《ぐし》がきれいですね

「髪がきれいですね」を上品にした言い回し。ふだんの言葉遣いとしては大仰だが、結婚披露宴や縁談の席など、あらたまった席で使いこなしたいフレーズ。年長者が、女性の若さをほめるときに用いる言葉だから、年上、目上の人に対しては使わないほうがよい。

髪型、変えたでしょう。あなたの雰囲気にピッタリですよ

髪型を変えてきた人を見かけたら、開口一番に投げかけたいセリフ。髪型の変化に気づいても触れない人がいるが、それでは暗に「似合わない」と言っているようなもの。たとえ前のほうがよかったと思っても、「髪型、変えたんだ！」と明るく声をかけるのがマナーというもの。

「持ち物」をほめるなら、ここに着目する

○○の使い方がとてもお上手ですね

おしゃれな人は、衣服だけでなく、小物やアクセサリーにも気を配っているもの。そんな人へは、ただ「おしゃれですね」と言うより、「いつも思うんですが、ベルト使いがお上手ですよね」などと、本人のこだわりを見抜いて感心してみせたほうが喜ばれる。「ストールの使い方が～」、「指輪の組み合わせ方が～」など、バリエーションはさまざま。

（最近人気の）○○をもう取り入れているとは、さすがです

流行に敏感な人は、すぐに取り入れるもの。そのタイミングを見逃さずに、「もう取り入れているなんて、さすが！」と感心すると大いに喜ばれる。流行を素早く取り入れることと、センスがよいことは別の話だが、このように言うと「流行に敏感で、おしゃれなあなた」というニュアンスを含めることができる。

あら、こんなかわいいの、どこで見つけたの？

女性同士で話しているとき、相手の持ち物をこんな言い方でほめれば、喜ばれること請け合い。また、「見て。これ買ったの」と品物を見せられたときは、一通りほめた後、やはり「どこで見つけたの？」と聞くのが大人の女のマナー。

○○の靴は、あなたのようなスラリとした脚じゃないと似合いませんね

その人物のおしゃれ度は「足元」にあらわれるという。そこで、相手が〝こだわりの靴〟を履いてきたら、こんな言い方でプライドをくすぐるのも一つの手。とくに、ヨーロッパ製の靴には華奢なものが多く、「履く人を選ぶ」場合が少なくない。自慢の靴をほめるとともに、履いている人のスタイルのよさや脚線美までほめられるフレーズ。

そのネイル、素敵ですね

女性同士であれば、爪のおしゃれをほめるのも定番のパターン。その際、「どちらのサロンに通ってるんですか？」と尋ねるのもお約束。自分でするセルフネイルの場合は、「プロ顔負けですね。すごい！」と驚いて見せるといい。「どうすれば、

そんなにキレイにできるの？」と、教えを乞うスタンスでほめると、相手の優越感を存分にくすぐれる。

その○○、シャレていますね。すごくお若く見えますよ

年配の人のおしゃれをほめるときは、持ち物だけをほめる言い方はＮＧ。「あなたは老人だけど、スカーフだけは素敵です」というように悪く受けとられては、元も子もない。「そのスカーフ、おしゃれですね。お顔がパッと明るくなってすごくステキ！」など、「若く見える」、「明るくなる」といったひと言をつけ加えるとよい。

このペン、書きやすいですね

これは男性向けのほめ言葉。万年筆やボールペンなど、ステーショナリーに凝っている男性は、その書き心地にこだわって選んでいるもの。こだわりの筆記具をほめることは、広い意味では「知性」を認めることに通じるので、相手は悪い気はしないはず。

私もそんな○○が欲しいと思っていたんです

相手の持ち物に対して、「私も、そんな○○が欲しい」と言えば、それを持っている相手を「お目が高い」とほめたことになる。とはいえ、「私もそんな大粒のダイヤ、欲しいと思ってたのよね」などと言っても、ほめ言葉にはならない。ベルトや手袋など、手ごろな小物を話題にすること。

「色のセンス」は、どこに注目してほめたらいいの？

その色、お似合いですね

このフレーズは、単に色をほめるのではなく、その色が「あなたに似合う」ことをほめているところがポイント。「あなたって春らしい色が本当によく似合うわ」、「顔立ちがはっきりしているから、黒が映えますね」など、バリエーションはさまざま。なお、色のなかでも「白」は特別で、男女とも似合うと言われて気を悪くする人はいない。ほめるときに使いやすい色といえる。白の似合う人を見かけたら、すかさずほめよう。

色の組み合わせがニクイですね

これは、相手の色彩センスをほめていると同時に、「あなたの色の組み合わせのすばらしさが私にはわかります」と、自分のセンス（のよさ）をアピールする言い方となる。だから、オシャレに疎《うと》い人が言うと、ミエミエのお世辞に聞こえてしまう。よくわからない場合は、前項の「その色、お似合いですね」を選んだほうが無難。

○色が小麦色の肌に映えて素敵ですね

その人に似合う色は、肌の色によっても異なる。焼けた肌に似合うのは、ぱっと目をひくビビッドなカラー。逆に、色白の人は、淡いパステルカラーがよく似合う。このフレーズは、洋服の色だけでなく、小物やアクセサリーにも応用可能。たとえば、「ゴールドのネックレスが、日焼けした肌に映えてステキですね！」など。

色白でいらっしゃるから、何を着てもお似合いですね

女性の装いと肌の美しさの2点を同時にほめられる便利なフレーズ。「色白だから、何を着ても上品に見えますね」も効果的なほめ言葉。社交辞令とわかっていても、こう言われた女性は、まんざらでもない気分になるはず。

口紅の色、今日の洋服とピッタリですね

本心から「化粧が上手」と感心しても、そのまま口に出すのは得策ではない。「素顔のわりには」と言っているようにも聞こえてしまうからだ。相手に気分よくなってもらうには、メイクと洋服のバランスを賞賛すること。「チークの色、変えた？　すごくきれい！」など、メイクの技術ではなく、肌の色やつやなどを指摘するのがポイント。

色づかいが上品ですね

無難なデザインの洋服を着ている人は、ショッキングピンクなどの刺激的な色ではなく、無難な色づかいでコーディネートしているもの。いわゆる〝コンサバ〟なファッションだが、そういうスタイルを好む人の心理には、上品に見せたいという願望が潜んでいる。だから、服の色をほめるときも「上品」というワードを使えば喜んでもらえるはず。

STEP7

そういう〝言い換え〟の法則があったんだ！

1 人間関係で失敗しないための言い換えの基本

ネガティブな形容を前向きに言い換える

しつこい↓「粘り強い」

つきまとってうるさい、同じことを繰り返すなど、しつこい性格も、「粘り強い」と言い換えると、その気質を長所として表せる。「粘り強くあきらめない○○さんの性格が、今回の成功を導いたと言えるでしょうね」などと使うとよい。

騒々しい、やかましい↓「活気がある」、「元気な」、「にぎやかな」

騒々しい場所に案内されたときなどには、「威勢がいい」、「にぎやか」という言葉で置き換えるといい。うるさく、話がよく聞き取れない店でも、「活気のある店ですね」と言えば、相手に対して失礼にならない。

おとなしい↓「もの静か」、「協調性の高い人」

「おとなしい人」という言い方は、「積極性がない」、「存在感がない」、「気弱である」というニュアンスを含むことがある。そこで、表現を少し変え、「彼はもの静かで、協調性の高い人ですよ」などと言えばよい。

堅苦しい↓「きちんとしている」

「堅苦しい」と聞くと、「格式張っていてくつろげない」、「窮屈である」というマイナスのイメージしか抱けないもの。それよりも「彼はきちんとした、とても真面目な人ですよ」と言ったほうが、ずっと響きはよくなる。

頼りない↓「やさしさがある」、「争いごとを好まない」、「温厚な」

気弱で頼りない人でも、こんな言い方でほめることができる。「○○さんは、おっとりしたところがありますよね」、「温厚でやさしい人ですから」など。能力にはふれずに、性格のよさを強調するのがポイント。

厚かましい↓「存在感がある」

厚かましい人や押しが強い人は、「存在感がある」と形容するといい。無口でほめるところが見当たらない人も、こう形容できる。「言葉数は少ないのに、なぜか存在感があるんですよねえ」のように。

狭い、小さい、窮屈な↓「コンパクトな」、「かわいくまとまった」

狭くて窮屈なスペースに案内されたとしても、それをそのまま口に出すのは失礼。そんなときは「コンパクトで使い勝手がよさそうなオフィスですね」などと言えば問題はない。

わけがわからない↓「抽象的」、「芸術的」

理解するのが難しい話や作品を見たときに使える便利なフレーズ。「抽象的なお話ですね」、「芸術的な作品ですね。興味深いです」など。言葉の意味するところが、「私にはわけがわかりません」と同じでも、このように言えば角が立たない。

「相手の性格」はこう言い換える①

せっかち↓「頭の回転が速い」

いつも急いでいて、落ち着きがないせっかちな人には、「頭の回転が速い」と言うと喜ばれる。「○○さんのお話は、いつもスピーディーですね。頭の回転が速くていらっしゃる証拠ですね」など。

冗談が通じない↓「真面目」

「冗談が通じない」と言うと、杓子定規で頭が固く、場の空気も読めないような人に聞こえてしまう。そういう人は、単に「真面目」という言葉で表しても、伝わる人にはそのニュアンスが伝わるだろう。たとえば、「なにしろ、真面目な人でして～」のように。

やる気がない↓「肩の力が抜けている」

緊張感がない人は、こう言い換えられる。「彼の魅力は、その、肩の力が抜けているところにあるんですよ」のように。

視野が狭い↓「一つのことに集中している」

「思い込んだらほかに目が向かない」など、視野が狭い傾向のある人でも、見方を変えれば「一つのことに集中できる人」と評価できる。「一つのことに集中することも、もちろん大事ですが」などと切り出せば、相手はこちらの話に耳を傾けやすくなる。

気が利かない↓「ものに動じない」、「人に左右されない」

ボーッとしていて、気が利かないタイプの人を別の観点から評価するには、「落ち着いている」というニュアンスをもたせるといい。「彼女は物事に動じないタイプですね」、「○○さんは、人に左右されない方ですから」など。

約束を守らない↓「何かと多忙のような」

誰かが時間に遅れているときなど、このように言えば、その人をフォローできる。「彼は今、何かと多忙なようですよ」など。「約束を守らない」と言うよりは、やわらかい表現になる。

常識知らずな↓「子供の心を残した」

突飛な行動をとる人、一般常識が通じない変わった人を評すには、こんな表現を使える。「○○さんは、子供の心を残した人なんです」、「彼は、いまでも少年っぽいところがあるので」など。「気持ちが若く、純粋であること」を強調する使い方がおすすめ。

のんびりしている↓「余裕を持っている」

スローペースで仕事をしている人に、「のんびりしているね」と言っては角が立つ。「余裕をもって仕事をしているね」、「いつも余裕があるね」などと声をかけたほうがベター。

行動力がない↓「じっくり物事を考えている」

重い腰がなかなか上がらない人に対して、「行動力がない」と言っては、身も蓋もない。「○○さんは、いつも物事をじっくり考えるんですよ」と評するのが、大人の表現。

耳を貸さない↓「信念が強い」

「彼は、人の意見に耳を貸さない」と言えば、悪口になってしまうが、「彼は信念が強いから、人の意見に屈することはない」と言えば、ほめ言葉になる。「信念を貫き通すのも、勇気がいることですね」、「強いポリシーをお持ちなんですね」なども同様に使える表現。

あきらめが悪い↓「失敗してもくじけない」

何度失敗しても挑戦する、あきらめない人には「失敗してもくじけない○○さんの姿勢から、いつも勇気をもらっています」などと言って、ほめるといい。「あきらめが悪い」と言ってしまえば悪口になるが、「くじけない」と言い換えれば、ほめ言葉にもなる。

ひと言多い↓「論客」

ああ言えばこう言う、ひと言多い人のことは「論客」と言い換えるだけでポジティブな印象になる。「彼は、この部署いちばんの論客です」、「○○さんは、何事にも自分の意見をもつ論客です」など。たとえひと言多い人でも、このように言われれば、悪い気はしない。

強引→「統率力に秀でた」、「リーダーシップを感じさせる」

強引さは「統率力」や「リーダーシップ」という言葉に置き換えるとよい。「決断の早い○○さんは、統率力に秀でた逸材ですよ」、「彼の仕事ぶりを見ていると、強烈なリーダーシップを感じます」などと使う。

「相手の性格」はこう言い換える②

ルーズである→「自分のペースで動いている」

マイペースで、時間に対してルーズな人に、やんわり注意をしたいときには「○○さんは、自分のペースで動いているね」と言うと、やわらかく聞こえる。「ルーズだね」と単刀直入には言いにくい相手に対しても使える。

頑固な、一徹な、片意地な↓「こだわりを大切にする」、「筋を通した」

よく言えば筋の通った人、悪く言えば頑固という人は、こんな言い回しでほめられる。「○○さんは、こだわりのある方なんです」、「たしかに筋を通すと、そのような結論になりますね」など。これだけでやわらかいニュアンスに聞こえる。

すぐに首を突っ込む↓「積極的」、「チャレンジをおそれない」

「すぐに首を突っ込む」と言うと、好奇心の湧くがまま、興味本位で行動しているように聞こえる。そういう人をポジティブにとらえれば、新しいことに「積極的」にチャレンジする人であるはず。そういう性格は「積極的」や「チャレンジをおそれない」とも表せるはず。

要領がいい、目端の利く↓「状況判断がいい」

「要領がいい」と言われて、喜ぶ人は少ない。「ずるい」、「勝ち馬に乗ろうとしている」といったマイナス方向のニュアンスを不快に感じる人も多いので、「状況判断がいい」と言い換えたほうがベター。「○○さんは状況判断に優れているので、勉強になります」など。

行き当たりばったり↓「状況に合わせて対応している」

深く考えずに、行き当たりばったりで行動する人でも、「状況に合わせて対応できるなんて、すごいですね」と言えば、ほめ言葉になる。行き当たりばったりと言えば、無計画を批判することになるが、臨機応変であることを強調すれば、ほめ言葉になる。

時間がかかる↓「慎重である」

仕事や作業のスピードが遅い人に何かひと言言いたいときには、「慎重な作業ですね。何時頃までかかりそうですか」などと切り出すといい。「えらく時間がかかっているけれど」とストレートに言うよりも、相手を傷つけない。

独りよがり↓「考えに自信を持っている」

人に相談せずに決断する人、ともすれば独りよがりな人でも、「考えに自信をもっている」と言い換えれば、ほめ言葉として形容できる。「○○さんは、いつもご自分の考えに自信をもっていらっしゃいますね」と言えば、失礼にあたらない。

すぐ意見を変える↓「変化に対応している」

人やそのときの気分に合わせて、意見や態度をコロコロ変える人のことを「あの人はすぐに意見を変える」と言えば、悪口になってしまう。一方、「彼は時代の変化に、臨機応変に対応している人ですね」と言えば、同じことをほめ言葉として表せる。

意見に左右される↓「それぞれの考えを尊重している」

優柔不断で人の意見に流されやすい人も、ポジティブに解釈すれば、「人の意見に耳を傾ける人」とみることもできる。「○○さんは、人の意見をよく聞き、それぞれの考えを尊重する人です」と言えば、立派なほめ言葉になる。

人の意見を聞かない↓「自分の世界観を持っている」

人の話に耳を傾けようとしない、頑なな人はこう表せる。また、「偏向している」や「考え方が偏《かたよ》っている」人も、こう表せる。

友だちがいない→「自立している」

人付き合いが苦手で、あまり友だちがいない人を話題にするなら、「彼は人と群れたりしないいんですよ。自立した人ですから」のように言えば、暗いイメージにならない。

細かいことを気にする→「几帳面」

些細なことを気にする人に、「細かい性格ですね」と言うと、相手を傷つけることになる。そんなときは、よい意味をこめて「几帳面ですね」と言ったほうがベター。「細かい点まで神経が行き届いて、○○さんは几帳面なんですね」など。

入れ込んでいる→「気合が入っている」

「入れ込んでいる」は、むやみに興奮して、みっともなくも見えるというニュアンスを含む語。そもそも、興奮している競走馬に対して使う言葉であり、人に対して使うのは失礼。「気合が入っている」と言い換えると、肯定的なニュアンスで、張り切っている、ボルテージが高いという意味になる。「彼、今回は相当、気合が入っているようです」など。

新しいことに挑戦しない↓「堅実」、「確実な方法を選ぶ」

「チャレンジ精神がない人」と言うと、退屈でつまらない人を想像するが、「堅実」というニュアンスを含ませると、ほめ言葉に変化する。「○○さんが考える企画は、つねに堅実ですね」、「いつも確実な方法を選ばれますね」などと使う。

出世に縁がない↓「上司に媚びない」

「出世に縁がない」と言うのは、身も蓋もない悪口。そういう人は、おおむね上司に取り入ったりはしないはずで、そうした態度は「上司に媚びない」とも表せるはず。「上司に媚びたりはしない人ですから……」のように言えば、悪口になることなく、言いたいことを表せるはず。

年寄りじみている↓「大人の雰囲気がある」

まだ若いのに、どことなく年寄りじみた雰囲気や趣味をもつ人は、「大人っぽい」という面を強調してほめるとよい。「今日は一段と、大人っぽい落ち着いたファッションですね」、「このお店、渋いですね。大人の雰囲気を感じます」など。

2 人間関係で失敗しないための プロの言い換え

「悪口」はグッと飲み込んで言い換える

イエスマン↓「忠誠心が厚い」

「イエスマン」と言うと、ボスの言うまま、なすがままで、主体性はまったくない人という意味の悪口になる。一方、「忠誠心が厚い」と言い表せば、ボスの言葉に従うところは同じでも、忠実で信頼できる人物というニュアンスになる。

天の邪鬼↓「逆転の発想ができる」

「天の邪鬼」と言うと、むやみに人に逆らうことを好む困った性格という意味になる。それを「逆転の発想ができる」と言い表せば、ただのひねくれ者でなく、独特のセンス、思考力があるという意味になる。「逆転の発想ができる人ですよ、彼は」など。

遊び人→「自由人」

「遊び人」と言うと、悪口になるが、「自由人」と言うと、自由な暮らしができる才能や財産があるというニュアンスになる。

叩き上げ→「苦労人」

「叩き上げ」という言葉は、自分に関しては使えても、人に対して使うには失礼なニュアンスを含んでいる。一方、「苦労人」と言えば、さまざまな苦労をして酸いも甘いも噛み分けたというニュアンスを含み、人に対して使うこともできる。「苦労人ですから、そのあたりはご承知のことだと思いますよ」など。

親馬鹿→「子煩悩」

「親馬鹿」と言うと、子供をスポイルするようなかわいがり方をしているように聞こえる。一方、「子煩悩」は、愛情をたっぷり注いで育てているというニュアンスを含む語。「親馬鹿」は自分に対して使い、「子煩悩」は人に対して使う言葉と覚えておくといいだろう。「じつに、子煩悩な方でして」など。

秀才↓「英才」

「秀才」という言葉は、勉強ができるだけの弱々しい人物という意味に聞こえることもある。一方、「英才」と言えば、学問だけでなく、性格的にもすぐれた人物という意味になる。「若手社員きっての英才」など。

どんな「評価」も前向きに言い換える

失敗↓「成長材料」

失敗、ミス、トラブルは、「成長材料」と言い換えると、角が立たない。たとえば、何かの失敗のあと、「今回の一件をお互いの成長材料にしましょう」などと使うことができる。「反省材料」も、ビジネス用の大人語として、ほぼ同様に用いられている。

独断↓「英断」

「独断」は、一人で勝手に判断するという意味。リーダーがたとえ一人で決めたことであっても、「英断」と言えば、ほめ言葉になる。「社長の英断によって、大改革がスタートする」など。

慇懃無礼↓「紳士然」

「慇懃無礼」は、うわべは丁寧だが、内心ではこちらを見下しているなどして、無礼であるという意味の言葉。「紳士然」に言い換えると、〝内心〟に関する意味は含まないので、ほめ言葉になる。「紳士然とした態度」など。

無職↓「フリーランス」

定職についていない人の職業を聞かれたら「どんなお仕事をされているのかは、よくわかりません。フリーランスのようですから……」などとぼかしたほうがベター。

平凡、月並み↓「手堅くまとまった」、「なかなかの水準」

とりたててほめるところがない、ごく平凡な物事に対しては、「手堅い」、「なかなか」などを使うとよい。「報告書を読みましたよ。手堅くまとまっていましたね」、「○○くんの発表は、なかなかの水準でした」と言い換えれば、ほめ言葉にも聞こえる。

どこにでもあるような服↓「定番物」、「コーディネートしやすい洋服」

どこにでもあるような平凡な服でも、ほめようと思えばほめることができる。「定番物のお洋服で、着回しがききそうですね」、「ベーシックなデザインなので、お手持ちの服とコーディネートしやすそうですね」など。

ボロ↓「アンティーク調の」、「歴史のある」、「使い込まれた」

人から貴重なものだといって見せられたものが、ただの中古品にしか見えなかったとき、どんなコメントを言うべきか困るもの。そんなときは「アンティーク調ですね。よく使い込まれていて、歴史を感じますね」などと言っておけば、失礼にあたらない。

◆参考文献

「広辞苑」（岩波書店）／「広辞林」（三省堂）／「日本語大辞典」（講談社）／「言葉に関する問答集総集編」文化庁（大蔵省印刷局）／「新聞に見る日本語の大疑問」毎日新聞校閲部編（東京書籍）／「話し方の技術」坂上肇（三笠書房）／「会話とスピーチの技術」永崎一則（PHP研究所）／「ほめ言葉ハンドブック」本間正人、祐川京子（PHP）／「オトナ語の謎」糸井重里監修　ほぼ日刊イトイ新聞編（新潮文庫）／「ビジネスマンことばのマナー」村岡正雄（創元社）／「雑談上手になる本」中川昌彦（実務教育出版）／「話し方のマナー」、「上品な話し方」塩月弥栄子（以上、光文社）／「話しべたは絶対なおる！」江川ひろし（PHP）／「人間関係の心理学」早坂泰次郎（講談社現代新書）／「話し方の技術」坂上肇（三笠書房）／「会話とスピーチの技術」永崎一則（PHP研究所）／「さすが！といわれるビジネスマナー」安田賀計（PHP研究所）／「人づきあいがグンとラクになる人間関係のコツ」齊藤勇監修（永岡書店）／「男の礼儀・作法事典」メンズ・リサーチセンター編（西東社）／「しぐさと表情の心理分析」工藤力（福村出版）／「人間関係の心理学」早坂泰次郎「チームワークの心理学」国分康孝（以上、講談社現代新書）／「ビジネスマンことばのマナー」村岡正雄（創元社）／「ビジネス日本語のルールブック」現代コミュニケーションセンター編／ほか

本書は、『わかっていてもやっぱりうれしいほめ言葉辞典』（小社刊・２０１４年）、『できる大人のモノの言い方　「ほめことば」の秘密』（同・２０１０年）、『できる大人のモノの言い方大全』（同・２０１２年）、『できる大人のモノの言い方大全　LEVEL2』（同・２０１３年）の内容に、新たな情報を加え、改題のうえ再編集したものです。

編者紹介

話題の達人倶楽部
カジュアルな話題から高尚なジャンルまで、あらゆる分野の情報を網羅し、常に話題の中心を追いかける柔軟思考型プロ集団。彼らの提供する話題のクオリティの高さは、業界内外で注目のマトである。
本書では、人間関係をスムーズにするための“ほめる技術”にスポットをあて、そのコツとポイントを徹底コーチする。どんな相手、どんな状況、どんな人間関係でも、この一冊だけで多彩なほめ技をマスターできる！

「いいね」を言葉《ことば》に変《か》えるほめツボ辞典《じてん》

2021年 4 月 1 日　第 1 刷

編　　者　話題《わだい》の達人《たつじん》倶楽部《くらぶ》

発 行 者　小 澤 源 太 郎

責任編集　株式会社プライム涌光
電話　編集部　03(3203)2850

発 行 所　株式会社青春出版社
東京都新宿区若松町12番1号〒162-0056
振替番号　00190-7-98602
電話　営業部　03(3207)1916

印刷・大日本印刷　　製本・ナショナル製本

万一、落丁、乱丁がありました節は、お取りかえします

ISBN978-4-413-11353-3 C0030

ISBN978-4-413-11311-3

ISBN978-4-413-11319-9

ISBN978-4-413-11318-2

ISBN978-4-413-11327-4